EEN HEEL BIJZONDER MEISJE

ANNA VAN PRAAG

EEN HEEL BIJZONDER MEISJE

LEMNISCAAT ✗ ROTTERDAM

Van Anna van Praag verscheen eerder bij Lemniscaat:
Kom hier Rosa

De auteur ontving voor dit boek een projectsubsidie
van het Nederlands Letterenfonds.

Nederlands
letterenfonds
dutch foundation
for literature

© Anna van Praag, 2015
Omslag: Marc Suvaal
Nederlandse rechten Lemniscaat b.v.,
Vijverlaan 48, 3062 HL Rotterdam, 2015
ISBN 978 90 477 0743 1
NUR 285

Druk- en bindwerk: Wilco, Amersfoort

*Dit boek is gedrukt op milieuvriendelijk, chloorvrij gebleekt en ver-
ouderingsbestendig papier en geproduceerd in de Benelux waardoor onnodig en milieuverontreinigend transport is vermeden.*

Girl, you'll be a woman soon. Please, come take my hand.
– Neil Diamond

Nothing is impossible.
– The Godfather

Je loopt zomaar de zee in.

Wij staan allemaal op het strand en zien je langzaam één worden met het water en het rood-goud-oranje van de ondergaande zon.

Er is nog steeds die muziek. Grote, dramatische muziek uit de enorme speakers op het zand.

Ik hoor en zie alles heel scherp. En ik voel: de adem van de machtige bergen achter me, het zachte zeezand onder mijn voeten. Alle mensen om me heen als een beschermend leger van engelen dat kijkt en kijkt naar dat ene figuurtje. Nu komt de zee tot aan je short, nu waaiert je blouse uit in het water. Je bent zo klein – en tegelijkertijd ben je de hele zee en de lucht.

Tony is de eerste die jou durft te volgen, samen met Luca. Omdat je hun moeder bent, natuurlijk. Eerst lopen ze nog voorzichtig, bijna plechtig, maar dan duiken ze met veel gespetter achter je aan.

Alsof dat het teken was, beginnen we nu allemaal te lopen, te rennen. Bijna niemand neemt de moeite zijn kleren uit te doen. Het water is een lauw en zout bad waar we allemaal samen in rond spetteren als blije baby'tjes in een reusachtige moederbuik. Jou zie ik niet meer, maar ik weet dat je er bent.

Ik lach, heel hard. De vakantie is begonnen.

Dit heb ik gedroomd: dat ik helemaal bloot voor je sta, ongesteld ook nog, dat het bloed langs mijn benen druipt – en gek genoeg is het niet erg. Jij mag overal kijken en overal voelen en alles, alles, alles tegen me zeggen. Dat jij het snapt, dat jij me kent. En dat je me meeneemt in je toverachtige wereld van glamour en nooit saai. Waarin iedereen niets liever wil dan bij jou zijn, in jouw zon.

Dat je mijn naam zegt, opnieuw en opnieuw, en dat je zegt dat ik het goed doe. 'Je bent een heel bijzonder meisje.'

En ik wil niet dat het ophoudt – maar dan houdt het op.

Ga weg, wil ik zeggen, je hebt mijn bloed gezien en mijn spuug en mijn snot en nu is er helemaal niks meer van me over dat van mij alleen is. Ik wil niet dat ik zo weinig ben en ik wil niet wat er komt als je daar ook nog eens doorheen valt, ik wil het niet.

Maar laat ik bij het begin beginnen.

Sofía, de allereerste keer dat ik je zie, ben ik negen jaar.

Oud genoeg om verliefd te kunnen worden.

Want ik zie vooral Luca, je zoon. Elke avond als de grote mensen wijn drinken in de vergaderzaal komt hij naar mijn slaapkamertje toe.

We zitten nu al een week in dit grijze gebouw met alle vaders en moeders. Het is herfstvakantie, maar papa en mama zijn de hele dag met die andere mensen aan het praten. Daarom ben ik bij een oppas die Liset heet en die mooie glitterverf heeft, en heel veel klei.

's Nachts slapen we allemaal in een soort hokjes. Aan de bovenkant zijn die hokjes open en daaroverheen klimt Luca naar me toe, elke avond. Ik lig dan al in mijn bed, zogenaamd te lezen – en te wachten. En ik kijk hoe Luca zich langs de muur omlaag laat zakken, als een spin, tot hij op de rand van mijn bed zit.

Ik spreek nog geen Engels, maar we begrijpen elkaar gewoon. Hij kijkt met me mee in mijn boek en ik vertel hem waar het over gaat. Het helpt dat er plaatjes bij staan.

Eén keer heb ik een sinaasappel van chocola. Het is een soort sinterklaasding, je kunt het gewoon in het winkeltje kopen. Luca tilt de sinaasappel op en bekijkt hem van alle kanten.

'Je kunt hem opeten.' Hoewel ik mijn tanden al heb gepoetst, peuter ik een partje uit de sinaasappel en stop het in mijn mond.

Luca begint te lachen. Hij wil ook en dan nog een stuk en nog één. We eten de hele sinaasappel op.

Daarna zorg ik dat er elke avond als Luca komt een chocoladesinaasappel is. Mama vindt het niet erg om ze voor me te kopen, juist fijn dat Luca en ik vrienden zijn. Zelf is ze steeds aan het huilen als ze mijn broertje verschoont.

'Wat is er, mama?'

'Niks, lieve schat. Gewoon een beetje moe.'

Eén keer neemt Luca een pluk van mijn haar in zijn handen en wijst met zijn vingers: zó lang is het. Ik kijk daarna steeds in de spiegel: ja, mijn haar is lang. Ik ben best knap, denk ik.

Verliefd kun je worden door iets heel kleins. Een lach die alleen voor jou is. Woorden in een vreemde taal. Een chocolademond.

Overdag maak ik tekeningen voor Luca en 's avonds geef ik ze hem. Terwijl we onze chocola eten, kijkt hij ernaar: het zijn mijn broertje met zijn lievelingsknuffel, zijn moeder – jij – die pizza eet. Het leukst is het als Luca om mijn tekeningen moet lachen. En hij neemt ze altijd mee als hij weer weggaat, hij stopt ze gewoon onder zijn shirt. Als ik in slaap val, denk ik aan de tekeningen die daar zo warm tegen zijn buik aan zitten.

Ik ben net bezig aan een tekening van een hart als mama bij de oppas binnenkomt. Ze heeft haar jas aan. 'Alicia,' zegt ze, 'ik heb je koffertje gepakt, we gaan naar huis.'

Ik ga gewoon door met tekenen. 'Maar het is nog niet afgelopen.'

'Wij gaan eerder weg, samen met je broertje en zusje. Papa blijft.'

'Oké,' zeg ik, 'even mijn tekening afmaken.'

'Nee,' zegt mama.

Ik kijk op. 'Maar hij is voor Luca.'

'We kunnen hem hier voor hem achterlaten. Liset wil hem vast wel geven.'

Liset zit naast me met een paar kinderen slingers te knippen, allemaal mannetjes op een rij die elkaars handen vasthouden. 'Natuurlijk,' zegt ze en ze steekt haar hand uit.

Ik sta op, maar kijk nog steeds naar mijn tekening. Er mist nog iets. *Voor Luca* heb ik geschreven met gestipte letters.

'Mama, hoe schrijf je "I love you"?'

Ze schrijft het voor me op, op een van de papiersnippers die op tafel liggen.

Als we weglopen, doet mijn buik pijn.

Eenmaal thuis zit mama steeds te bellen. Ook met Liset. 'Ze zei dat Luca heel blij was met je tekening,' vertelt ze. 'Hij liet hem aan iedereen zien.'

Dat helpt.

Op school hebben ze het wel eens over verkering of verliefd. 'Ik ben op Luca,' zeg ik dan altijd. Omdat het zo is.

Natuurlijk ga ik hem weer zien, dat weet ik zeker. En tot die tijd ga ik mijn haar niet meer knippen. Alleen een paar dode puntjes eraf, als het echt moet van mama.

Bij onze volgende ontmoeting komt mijn haar tot mijn middel. Maar dan ben ik al elf en heb ik borsten.

Het is mama nog twee zomervakanties gelukt om papa mee te krijgen naar een natuurcamping. Dat zijn campings waar je alleen maar kunt komen via een eindeloos hobbelweggetje. Er zijn bijna geen winkels en de gasten staan er op en gaan slapen met de zon, papa en mama ook. Verwilderen noemt mama dat, we spelen de hele dag in riviertjes.

Maar dan zegt papa dat als mama dit jaar wéér niet mee wil naar Italië, dat hij dan wel alleen gaat – en alles wordt anders. En tegelijkertijd alsof het altijd zo geweest is: de zomers op het Italiaanse eiland met de sinaasappelbomen, in onze eigen hotels en bij onze eigen zee. Altijd met dezelfde mensen. Met jou en met iedereen die bij jou wil zijn.

'Dit is Sofía.'

Ik weet niet meer of iemand dat ooit tegen me heeft gezegd. Je bent er gewoon ineens.

Een kleine vrouw met zwart haar en een simpel T-shirtje waarin je best goed ziet dat je eigenlijk maar één borst hebt – in die andere heb je kanker gehad maar dat heb je overwonnen. Je hebt net zulk zwart haar als de obers. Dat komt doordat je Italiaans bent, al woon je nu in New York.

'So this is Simon's daughter,' zeg je die zomer dat ik elf ben. Je kijkt me aan met vuur in je ogen. Ben je een heks? Misschien, maar dan wel een goeie, dat weet ik als ik terug durf te kijken. Grote mensen kijken nooit op deze manier naar een kind: zo lang en serieus. Alsof je écht wilt weten wie ik ben. Alicia, zeg ik in mijn hoofd, en je lacht een beetje.

'Alicia,' zeg ik hardop.

Alles is zo groot. De zwembaden en de skatebaan. De eetzaal waar iedereen elke dag zit, met de staff en jou aan het hoofd. Het 'kinderhotel' waar ik een kamer heb.

'Durf je dat, zo in je eentje slapen?' vraagt mama.

'Juist leuk,' zeg ik en papa lacht en zegt dat het vijf minuten lopen is naar het hotel waar papa en mama zelf zitten met mijn broertje en zusje.

Het kinderhotel heeft een draaideur en daarnaast staat een tafel met een grote vaas erop. Mama legt er een zak toffees naast met een briefje erbij: *Welcome! From Alicia (room 17)*. Ik weet niet precies of ik dat leuk vind of eigenlijk een beetje gek, maar dan ligt het er al.

En het werkt: niet veel later staat er een meisje voor de deur met een toffee in haar mond.

'Ik ben May,' zegt ze. Ze praat een beetje raar. 'Mijn vader is Nederlands,' legt ze uit, 'maar die zie ik bijna nooit. Ik woon in Amerika bij mijn moeder, die zit ook in de staff. Ze zei dat we wel vriendinnen kunnen worden.' Als ze lacht heeft ze kuiltjes in allebei haar wangen.

'Je moeder?'

'Beatrice. De beste vriendin van Sofía.'

'Beatrice is toch die mooie blonde vrouw?' Ik wijs op Mays haar; ze is zelf ook erg blond.

'Jouw haar is langer.'

Ik moet het wel vragen. 'Dus je kent Luca ook?'

'Tuurlijk ken ik Luca. Ik ben wel eens zijn vriendinnetje geweest.'

'Echt?' Ik doe de deur van mijn kamer wijd open en May stapt naar binnen.

Niet veel later zie ik hem zelf. Hij loopt door de zon en ziet er nog precies zo uit als toen ik negen was. Een piepklein beetje dik en niet al te groot, maar met gespierde armen. En hij lacht weer precies zo, met dat vrolijke gezicht.

Ik begin heel hard te rennen. 'Luca!'

Ik wil hem eigenlijk een kus geven, maar hij kijkt heel verbaasd.

'Ik ben het, Alicia.'

'Alicia?'

'Simons dochter.'

En dan, gelukkig, lacht hij weer en zegt 'welcome' tegen mij. Er is iets met zijn stem gebeurd, die klinkt zoals die van een grote jongen. Maar ik ben zelf natuurlijk ook geen klein meisje meer.

Heel even staan we daar naar elkaar te kijken.

Dan ziet hij zijn broer achter mij en hij roept naar hem: 'Tony!'

Het volgende moment is hij weg.

Wacht maar, denk ik. Nu is het begonnen.

May neemt me overal mee naartoe.

Naar de yogalessen bij zonsopkomst op het strand. Daar is altijd droommuziek en vaak is het ook met zingen. Heel soms gaan ze ineens keihard schreeuwen. 'De beste manier om je dag te beginnen,' zegt May.

En dan zijn er de bijeenkomsten in het oude theater. Het

spannendste van alles. Daar zie ik jou, Sofía, en de wonderbaar-lijke dingen die je doet.

Er zijn altijd veel mensen in dat theater, misschien wel een paar honderd, uit Nederland en Amerika. Ze zitten netjes in een halve cirkel. Aan de overkant zit een groepje mensen met zwarte shirts waar STAFF op staat. En jij natuurlijk. Klein en zonder make-up, in een spijkerbroek met gaten erin – maar toch draait alles om jou, klinkt jouw stem overal bovenuit, zwermt iedereen om je heen. Ik moet best vaak denken aan bijen en hun koningin.

Alsof het een echte voorstelling is, gaat er steeds iemand in het midden staan en vertellen over zijn leven. Jij bent een soort re-gisseur. Dat is het beroep van mijn vader, en wat jij doet, lijkt erop. Maar dan met echte verhalen.

Een van de eerste keren is er een vrouw met lange krullen en een spijkerjurk. 'Ik weet niet wat ik moet doen met mijn leven,' zegt ze. En nog wat van die saaie dingen.

'Zullen we naar het zwembad gaan?' fluister ik tegen May, die zachtjes voor me zit te vertalen.

Maar op dat moment zie ik dat jij opstaat van je plek in het midden van de staff en naar de vrouw toe loopt.

'Wat is het?' vraag je. 'Het geheim dat je ons niet vertelt? Heeft het met je werk te maken?'

De vrouw met de krullen staart je aan, net als iedereen. 'Hoe bedoel je?'

'Je weet heel goed wat ik bedoel,' zeg je rustig. Er zit nog steeds iets van Italië in je stem.

'Waarom zeg jij het dan niet?'

Je haalt je schouders op. 'Je moet het zelf doen.'

Ik stoot May aan. 'Wat bedoelt Sofía?'

'Nou, dat die vrouw een of ander geheim heeft.'

'En Sofía weet dat?'

May kijkt me even aan. 'Sofía weet alles. Ze is heel wijs.'

'Is ze helderziend?'

'Nee, natuurlijk niet.'

'Ik ben...' begint de vrouw met de krullen. Ze fluistert iets.

'Zeg het hardop,' zeg je, 'tegen iedereen.'

De vrouw draait zich om. Ze schudt haar haren naar achteren, recht haar rug.

'I am a prostitute.'

'Wat is...?' Ik wilde dat ik Engels kon.

May giechelt. Een Nederlandse vrouw die naast haar zit zegt zonder op te kijken: 'Prostituee. Hoer.'

'O,' zeg ik. Ik heb nog nooit een echte hoer gezien. Ja, achter de ramen in de straat bij mijn opa en oma in Amsterdam. Daar zijn de vrouwen altijd roze en bijna bloot. Als ik al durf te kijken.

Deze vrouw ziet er doodnormaal uit. Ze heeft niet eens grote borsten.

Nu staat ze recht tegenover je en ik kijk net als zij naar jouw gezicht, naar je grote zwarte ogen die nu ernstig naar de hoer kijken. 'Vertel ons over je werk,' zeg je rustig. 'Vertel hoe het begon. Je eerste keer.'

'Nu wil je zeker niet meer weg?' vraagt May.

Ik schud mijn hoofd. Wanneer heb je nou de kans om het verhaal van een echte hoer te horen? Dat is zeker zestienplus.

May lispelt een vertaling in mijn oor, allemaal spannende woorden. Dat die eerste keer in een hotel was, met een heel dikke man, die daar helemaal bloot op zijn rug naar vieze filmpjes lag te kijken. En dat hij het hoofd van die hoer toen tussen zijn benen trok...

Mays haar kriebelt tegen mijn wang, ze ruikt lekker naar kauwgum. Om ons heen is het doodstil, iedereen zit te luisteren. En jij staat daar maar rustig tegenover die vrouw die vertelt over blowjobs ('Dat kan ik niet vertalen,' zegt May) en sperma dat tegen haar gezicht aan spat, op een toon alsof het over haar eerste pianoles gaat.

'Nog een keer,' zeg je als het verhaal klaar is.

'Wat?'

'Vertel het verhaal nu alsof ik je moeder ben.'

De benen van de vrouw beginnen een beetje te trillen, zie jij dat ook? Natuurlijk zie je dat.

'Je lijkt op haar,' zegt de vrouw.

'Des te beter,' zeg je. 'Hoe noemde je moeder je altijd? Wat was haar speciale naampje voor jou?'

'Madonna,' zegt de vrouw.

'Goed, Madonna, kijk me aan en vertel me nu nog een keer hoe het was, die eerste keer in het hotel.'

En weer begint de vrouw het hele verhaal te vertellen. Maar deze keer is er iets met haar stem. Die klinkt ineens heel zacht en bibberig. 'Ik kwam die hotelkamer binnen, ik was net achttien geworden...'

Naast me begint de vrouw die had verteld wat 'prostitute' betekent zachtjes te huilen. Het is ook een zielig verhaal.

Als het eindelijk klaar is, halen we allemaal diep adem. Je kunt het als een golf door de zaal horen gaan.

Ik wil dat je die vrouw gaat troosten – zelfs haar rug ziet er verdrietig uit. In plaats daarvan zeg je, best streng eigenlijk: 'Nog één keer. En nu wil ik dat je het verhaal vertelt alsof ik je dochter ben.'

'Ik heb geen...'

'Je ongeboren dochter.'

'Hoe weet jij...?'

'Vertel het. Nu.'

Ze houdt het drie zinnen vol. Dan begint de vrouw zomaar over te geven. Ik schrik me rot, maar er is snel iemand bij met een dweil en een emmer. En eindelijk sla jij dan je armen om de vrouw heen. Alsof je echt haar moeder bent en het helemaal niet erg vindt om ondergekotst te worden.

Na het overgeven gaat ze huilen en dan moeten er nog veel meer mensen huilen, net als bij een zielige film in de bioscoop.

Ik moet zelf niet huilen maar doe wel een beetje alsof, omdat

May dat ook doet. En daarna begint de hoer te vertellen wat ze anders gaat doen in haar leven en dat ze geen hoer meer wil zijn maar kleren wil gaan naaien.

En dat klinkt ineens zo grappig dat we allemaal heel hard moeten lachen.

Die avond herken ik de vrouw bijna niet meer. Ze is zo anders nu. Zachter, liever. En er zijn de hele tijd mensen om haar heen die haar knuffelen, dat ziet er fijn uit.

Maar ik kijk vooral naar jou, je bent overal. Ik begin je al een beetje te kennen, geloof ik. Je lach is hard, je beweegt altijd. Soms sla je zomaar je armen om een van de mannen van de staff – vooral om de grote, sterke mannen, zodat je er nog kleiner en bijna meisjesachtig uitziet. Ik zie je met je zoons: met Luca natuurlijk en met Tony, die deejay is. Ik zie hoe trots je naar hen kijkt als zij keihard muziek door de eetzaal laten knallen, waardoor er allemaal mensen zomaar beginnen te dansen (ik ook). Ik zie dat de kleur oranje je heel mooi staat en je gezicht helemaal laat oplichten en soms hoor ik je Italiaans praten met een paar van de Amerikanen en dan besluit ik dat ik Italiaans ga leren. Maar eerst nog even dat Engels.

'Je weet zeker dat je al die verhalen wilt horen?' vraagt mama na de eerste week. Er is die dag een man opgestaan in het theater die vertelde over zijn gezin. Hij moest thuis alles doen. 'En die last drukt zo zwaar op me.'

'Laat maar zien dan,' zei jij.

Eerst snapte niemand wat je bedoelde, maar je zei: 'Haal een bank.'

Een paar mannen van de staff sprongen snel op en kwamen terug met een bank van de receptie.

Jij had inmiddels de vrouw en de drie kinderen van die man al naar voren laten komen. Ze moesten met zijn vieren op de bank gaan zitten, en daarna moest de man de bank in zijn eentje optillen. Het waren best wel grote kinderen en een best wel dikke vrouw. En de bank was natuurlijk ook zwaar. Toch tilde hij gewoon die bank met gezin en al in de lucht en bleef behoorlijk lang zo staan. Net Pippi Langkous met haar paard, alleen een beetje enger.

Uiteindelijk stortte de man in, heel plotseling en met een soort brul. Gelukkig stonden de mannen die de bank gehaald hadden nog steeds klaar en die vingen de vrouw en de kinderen op en ook de bank.

Jij ving zelf de man op, die nog steeds brulde als een gewond dier.

'Ik weet echt niet of ze dit allemaal moet zien,' zegt mama tegen papa – ook al zeg ik net dat ik het leuk vind.

'Alicia is oud en wijs genoeg om dat voor zichzelf te beslissen,' zegt papa. 'Er is niemand die haar dwingt om erbij te zijn. Ze kan ook meedoen met het kinderprogramma, of naar het zwembad gaan.'

'Maar die man van vandaag...'

'Dat was juist goed, mama. Zag je dan niet dat hij net tijdens het eten heel opgelucht rondliep? Mays moeder zei: "Er is echt een last van hem af gevallen."'

'Zie je wel dat ze het donders goed begrijpt?' zegt papa trots.

Een hoge zaal met lange witte lappen die naar beneden hangen en overal spiegels. Rood licht en blacklight dat flikkert en brandt, bundels uitwaaierende gifgroene laserstralen die de ruimte doormidden snijden. Muziek! Spannende nieuwe muziek die golft en bruist en je aan alle kanten overspoelt en meesleurt. Tafels vol met eten, vrouwen in glitterjurken die daarbovenop dansen, mannen met wolvenmaskers en zwarte capes, vrouwen verkleed als schattige meisjes, jongens met glimmend vet in hun haar, abrikooskleurige drankjes in wijde glazen met kersen erin, een waarzegger in de hoek...

'Nu weet je wat een écht feest is,' roept May stralend. Ik wou dat ik zo knap was als zij en net zo kon dansen. Ze lijkt wel zestien. Maar dan trekt ze me mee de dansvloer op en gaat alles vanzelf. Het is de muziek, denk ik, de muziek van Tony en Luca, die achter de deejaytafel hoog boven alles uit torenen, als superhelden. Muziek die alleen nog maar bestaat in Amerika, en zelfs daar alleen op heel geheime plekken.

En natuurlijk ben jij het middelpunt. Je hebt een zilveren jurk aan, glad als slangenhuid, en je danst op een podium. Allemaal mannen om je heen. Ik herken ze bijna niet zonder hun staffshirt. Ze dragen nu zonnebrillen, leren jasjes en van die glimmende overhemden die ik heel mooi vind.

De muziek dreunt in mijn buik, maakt dat ik rondwervel als een soepele danseres. Hoe meer ik dans, hoe sneller het gaat. Ik wil nooit meer stoppen!

Ik zie May van de dansvloer gaan en in haar plaats komen weer anderen. Ik dans met papa, die een gleufhoed draagt, met een jongen die zo erg zweet dat het opspat als hij op de grond stampt, met een man met een neppistool onder zijn riem en met de vrouw die vroeger hoer was en die rondloopt in een felroze bikini met kwastjes. Vanuit mijn ooghoek houd ik Luca in de gaten, maar hij is niet weg te slaan bij de deejaytafel.

Langzaam, heel langzaam, word ik naar jou toe gezogen. Dan sta ik in een kring van mensen die allemaal voor je klappen. Vandaag is er niks te zien van die ene borst, in het jurkje zitten gewoon twee bobbels. De man met wie je danst heeft rood haar en heel veel sproeten. Ik denk dat hij je vriend is want hij likt je van achteren in je nek en jij slaat je armen om hem heen als je omdraait en dan zoenen en draaien jullie zo lang dat ik er plaatsvervangend duizelig van word.

Maar dan maak jij je los en haal je iemand anders in de kring: Beatrice, de moeder van May. Ze heeft vandaag een zwarte jurk aan met een split tot aan haar onderbroek. Het is een wonder dat ze er zo sierlijk mee kan dansen, zo strak zit-ie. Na een tijdje gaat ze opzij voor een man met enorme spierballen en daarna mag papa naar voren komen. Ik ben zo trots dat ik maar doe alsof ik niet zie dat hij eigenlijk een beetje gek danst: met woest maaiende bewegingen, alsof hij de hele zaal probeert te bezweren met toverspreuken die niemand snapt. Maar jij lacht je liefste lach naar hem en ik ga expres naast papa dansen.

En dan.

Plotseling valt jouw blik op mij en het is alsof de spotlights aangaan – nu kijkt iedereen naar me. Je wenkt. Ik kijk even achter me, maar dan word ik al zachtjes naar je toe geduwd en even, heel even, dansen we samen. Als je danst met iemand die dat heel goed kan, kun je het zelf ook. Dansen is een soort vliegen. Jij lacht en ik lach en alles is muziek.

Ineens is daar May naast me en nog meer kinderen. Even vind ik het jammer, maar dan zie ik zelfs Tony en Luca. We maken allemaal plaats voor jou en je knappe zonen met hun pikzwarte haren, sexy en schattig tegelijk. Twee van die gespierde lijven die glimmen van het zweet om zo'n klein moedertje heen. Ze zouden je zo kunnen vertrappen, maar ze zijn juist superlief, je gaat er nog meer van stralen dan je al doet.

Ja, denk ik. Ja, ja, ja!

Later ga ik met Luca trouwen en dan hoor ik daar ook bij.

De rest van de avond bestaat uit flarden. Zoals May en ik die staan te eten naast een schaal waarop een dood varken ligt met een appel in zijn bek.

'Als je dit al geweldig vindt, had je het Romeinse feest helemaal fantastisch gevonden. Toen lagen we allemaal als Cleopatra en Caesar verkleed rond het zwembad te eten. Druiven en zo. En wijn. En later belandde iedereen natuurlijk in het water en werd het bijna een soort orgie.' May maakt steeds haar herinneringen tot de mijne, ik ben blij dat ze mijn vriendin is.

'Wat is een orgie?'

'Dat is ook Romeins. Dat iedereen het met iedereen gaat doen.'

'Zoals...' Ik wijs naar een paar mensen die in een hoekje staan te zoenen en te kronkelen. Mannen die met hun handen onder vrouwenrokjes gaan, spannend en vies tegelijk.

May knikt. Ze komt wat dichter bij me staan. 'Heb jij al een vriendje?'

En dan vertel ik zomaar over Luca en de tekening met *I love you* die ik ooit voor hem gemaakt heb.

'Echt waar? Wat romantisch,' zegt een mooi meisje dat Sabina heet. Ik heb een beetje hard gepraat.

'Je moet wel uitkijken, hoor, met die jongen,' zegt May een beetje zorgelijk, 'hij is een player.' Ik weet niet precies wat dat is – iets met spelen, geloof ik, dus het kan niet heel stom zijn.

En ik kan gewoon niet ophouden met kijken. Naar Luca, maar vooral naar jou. Alsof die harde muziek en dat springerige licht ervoor zorgen dat het ineens niet meer onbeleefd is om iemand maar gewoon de hele tijd aan te staren.

Ik zie je lachen, heel hard, met je hoofd in je nek. De man met het rode haar begint je langzaam maar zeker mee te slepen naar buiten, hij kijkt alsof hij je gaat opeten.

Je komt heel dicht langs me, ik voel de warmte van je af stralen. En dan – zie ik het goed? – knipoog je even naar me. Niet naar May, niet naar al die andere mensen om me heen, maar naar mij, alleen naar mij.

Ik knipoog terug in de hoop dat het er niet te mislukt uitziet. Op mijn vingers fluiten kan ik al, maar knipogen ben ik nog aan het leren.

Nu wordt het langzaam leger in de zaal. Op het terras branden de fakkels een voor een op. Papa is een van de laatsten op de dansvloer en staat zich als een idioot uit te sloven. Mama heb ik al eeuwen niet meer gezien.

'Zullen we gaan?' vraagt May. Ze heeft mijn vestje in haar handen.

Buiten is het nog steeds lekker, een lauwe lucht met heel veel sterren boven ons.

'Een nachtpicknick,' zegt May, 'dat hebben we vorig jaar ook een keer gedaan. Zo jammer dat je er toen nog niet was. We waren op het strand, de zee gaf een soort van licht. Sommige mensen gingen bloot zwemmen.'

'Sofía ook?'

'Dat weet ik niet meer. Vast wel.'

Ik huiver, het zweet op mijn huid droogt snel op in de wind. Ik ruik het, mama heeft gelijk: we moeten binnenkort eens een echte deodorant voor mij gaan kopen.

Maar mijn bed is koel en niks is zo lekker als zweterig en viezig onder schone hotellakens kruipen. Ik kan de muziek nog steeds voelen.

'Ik mis gewoon onze vakanties van vroeger.'

De deur van de kamer van papa en mama staat open en ik val midden in een gesprek.

22

'Hier is toch ook een zwembad.' Papa staat zijn haar voor de spiegel naar achteren te kammen. Hij ziet er verrassend fris uit na zijn woeste nacht op de dansvloer. Mama vlecht de sprieterige haren van mijn zusje Tinka. Mijn kleine broertje speelt file met een rij minishampooflesjes.

'Ja, maar –'

'En heerlijk eten, je hoeft niet af te wassen. We zitten pal aan zee. Je hebt feesten, een tennisbaan, een skatebaan zelfs. En zon, niet te vergeten.'

'Ik mis ons. Samen. De kinderen zitten de hele dag maar bij de oppas. En Alicia zie ik amper, terwijl ik nou juist van plan was om –'

'Ik ben hier,' zeg ik en stap naar voren. 'Ik vind het hier super-leuk, mama. Vond je dat maffiafeest dan niet geweldig? En weet je dat ik misschien mag meedoen in de show?'

'De audities zijn vanmiddag,' zegt papa. Hij is natuurlijk de regisseur.

'Ja, en May zegt dat ze nog kinderen van mijn leeftijd zoeken. Is dat zo, papa?'

'Kom nou maar gewoon auditie doen.' Papa begint weg te lopen. Over zijn schouder zegt hij tegen mama: 'Neem een voorbeeld aan je dochter. Je moet je er méér in storten en niet zo aan de zijlijn blijven, dan wordt het vanzelf leuker.'

'Meer?'

'Ik weet zeker dat Sofía hoopt dat jij eens een keer naar voren komt.'

Mama kijkt papa peinzend na. Ze bindt een elastiekje om Tinka's vlecht. Dan zegt ze tegen mij: 'Alicia, wil je me helpen?'

Natuurlijk wil ik mama helpen.

Ik denk dat ze ook auditie wil gaan doen, maar ze bedoelt iets anders. Later in het theater staat ze zomaar op als jij vraagt wie er het woord wil.

'Ik,' roept mama, te hard. Gelukkig knik jij dat het goed is.

'Kom, Alicia.' En voor ik goed begrijp wat ze wil, sleurt mama me al mee naar voren.

Om me heen zie ik rijen en rijen nieuwsgierige gezichten. Nooit geweten dat het zo'n kick was om in het midden te staan van zo'n kring mensen. En als ik het al eng vond, dan verdwijnt dat door hoe jij naar me kijkt. Bijna alsof je weer gaat knipogen.

Mama begint snel en klagerig te praten. 'Mijn verhaal heeft met mijn oudste dochter te maken.'

Dat ze het zo lastig vindt dat ik groot word. Dat ik niet meer op haar schoot wil en de deur dichtdoe als er vriendinnen komen spelen. Daar moppert ze wel vaker over en dan krijg ik helemáál zin om alleen naar mijn kamer te gaan.

Jij kunt er ook niet goed tegen, zie ik.

Het is ook niet de mama die ik ken, de mama op wie al mijn vriendinnen jaloers zijn. Die elke dag een verrassing in mijn broodtrommeltje voor de overblijf stopt: een snoepje, een lief briefje, een keer zelfs een foto van mij en papa in een hartje geknipt. En die, als ik thuiskom uit school, klaar zit met theepot, theemuts, theelichtje, theeglazen, chocola. En altijd de geur van zelfgebakken koekjes. Dat is de lieve mama die niet klaagt en sowieso niet veel praat. Die er gewoon altijd is. Moet ik dat hier gaan uitleggen?

'Follow the leader,' zeg je ineens tegen mij, 'ken je dat spel?'

Ik moet voorop gaan lopen en rare dingen doen. Mama moet mij nadoen.

Ik huppel, zij huppelt. Ik spring, zij springt. Ik doe een radslag, zij valt om.

En dan heb ik ineens, als een soort rattenvanger van Hamelen, een hele sliert mensen achter me aan. Het is best stoer dat alles wat ik doe onmiddellijk door al die mannen en vrouwen herhaald wordt. Ik buig, zij buigen. Ik sluip, zij sluipen. Ik steek mijn tong uit, zij steken hun tong uit. Ik gil het uit, zij gillen het uit.

'Misschien moet je weer aan het werk gaan,' zeg jij na afloop tegen mama.

'Werk?' Mama kijkt alsof je hebt gezegd dat ze haar broek uit moet trekken.

'Ja, je bent toch eigenlijk...?'

'Tandarts.'

'Precies, tandarts. Start een praktijk. We hebben hier van alles: fotografen, koks, deejays, dokters, zelfs operazangers. Altijd handig om een tandarts in de buurt te hebben.'

'O,' zegt mama dom en ze kijkt je niet eens aan.

Dan draai jij je naar mij toe en zeg je dat ik het heel goed heb gedaan.

Wat? denk ik. Die radslag?

Maar je legt je handen op mijn schouders en het is alsof de tijd met een klap tot stilstand komt. Alsof iemand heel zacht mooie droommuziek op heeft gezet – alleen is er geen muziek. Er is geen enkel geluid. Vanuit je vingertoppen stroomt zachte warmte naar me toe en iets begint te tintelen, alsof we allebei geladen worden met dezelfde elektriciteit. Het gloeit in mijn achterhoofd en dan ook nog tussen mijn benen. Straks plas ik nog in mijn broek! Ik durf je bijna niet aan te kijken en als ik het toch doe, begin ik zomaar te blozen, ik voel het over mijn wangen kruipen. Wat is er aan de hand?

Jij weet het, dat zie ik aan je gezicht. Je hebt net een röntgenfoto van me gemaakt, gewoon met je ogen – en wat het ook is, het is goed. Het mag.

Ik moet ervan zuchten, het komt van heel diep. Mijn benen trillen helemaal.

Zachtjes haal je je handen van mijn schouders. 'Je bent een heel bijzonder meisje,' zeg je.

De verbaasde blik gaat de rest van de dag niet van mama's gezicht af. Weer aan het werk, een eigen praktijk?

'Waarom niet?' zegt papa.

Ik weet niet of zijn plannetje gelukt is – of mama het nu leuker vindt hier.

Mama vindt rare dingen leuk. Toen mijn broertje laatst een echte tekening voor haar maakte, riep ze: 'Zijn eerste koppoter!' Ze moest er bijna van huilen en kocht er een nieuw fotolijstje voor, terwijl we er al zoveel hebben. Ik ging toen ook weer koppoters tekenen. En vrouwtjes met kinderen in hun buik, die vond ze ook leuk. Maar we kunnen toch niet eindeloos koppoters voor haar blijven tekenen?

Ikzelf vind het hier nu zeker leuker!

De hele tijd komen er mensen naar me toe. Onbekenden die hun hand op mijn schouder leggen, die me toelachen, die zeggen: 'Wat was jij goed bezig vandaag.' Of: 'Knap hoor, dat je dat durfde, zo voor al die mensen.'

'Je hebt toch alleen maar Follow the leader gedaan?' vraagt May als de zoveelste bewonderaar mij tijdens het eten in mijn schouder knijpt.

Nou en? Misschien was dat inderdaad heel knap. Ik voel nog precies hoe het was om daar te staan. Dat ze voor me gingen klappen aan het eind en dat iedereen zo naar me lachte.

En ik voel jou. Ik loop nog steeds een beetje lichter, kijk in elke spiegel die ik tegenkom.

Ik wil weer in die kring. Dat is net als op het podium staan bij een schoolvoorstelling of de beker winnen met je voetbalteam: heel erg lekker.

Hoe vertel ik alles wat er gebeurt straks aan mijn vriendinnen thuis? Het is zoveel. En het gaat zo snel. Het lijkt wel een boek: *Alice in Wonderland*. Dat heb ik in mijn leven al vijf keer cadeau gekregen, door mijn naam natuurlijk.

Neem dit weekend: dood en leven tegelijk.

Het begint als er een oude man opstaat in het theater en vertelt dat zijn vader is gestorven in de oorlog. Het ergste vindt hij dat hij nooit afscheid van hem heeft kunnen nemen. Er is geen graf, geen as.

'Dan gaan we je vader alsnog begraven,' zeg jij.

Hoe kan dat nou? denk ik.

Maar het kan!

De voorbereidingen beginnen meteen. Er worden rouwadvertenties gemaakt en rouwkaarten, net als bij een echte begrafenis, er wordt muziek uitgezocht die de vader mooi had gevonden. Ineens zie je overal vrouwen bloemenkransen rijgen en corsages maken. Er is zelfs een man die naar het strand gaat om wrakhout te jutten en daar een glanzende doodskist van bouwt.

Op de dag van de nepbegrafenis – die tegen die tijd allang niet meer voelt als nep – is iedereen extra stil bij het ontbijt. We hebben allemaal zwarte kleren aangetrokken; alleen de dragers van de kist zijn in het wit. In een lange stoet schuifelen we achter de lege kist aan, de oude man voorop, samen met jou. Daarachter je zonen, de mensen van de staff. Dan de rest.

Voorop loopt een klein orkestje. Een vrouw die dwarsfluit speelt, een man met een viool. Als je met zoveel mensen bent, zitten er natuurlijk altijd goede muzikanten tussen.

De skatebaan is helemaal bedekt met zwarte lappen waarop vazen staan met een kruid dat mimosa heet. Je kunt het overal plukken, de takken zitten vol pluizige felgele bloemetjes. 'Mimosa' is nu mijn nieuwe lievelingswoord. Je ruikt het overal in de lucht. Tony heeft superzielige muziek uitgekozen. Van die muziek waarvan je meteen gaat huilen.

Als ik op een kussentje ga zitten en naar de kist voor me op het podium kijk, huil ik al. Juist omdat de kist leeg is, kun je er iedereen wel in stoppen. In mijn gedachten is het mijn opa Bram die daar ligt. Toen hij doodging was ik zeven. We zaten met zijn allen in een grote, griezelige zaal die heel hol was en heel hoog en mijn vader hield een speech. 'Nou, pap...' zei hij tegen de kist – en toen was hij zijn stem kwijt. Papa, die altijd praat! Ik wilde heel hard huilen, toen, maar ik was bang dat ik het niet zachtjes zou kunnen. Het zat als een onweersbui in me en ik dacht dat ik stikte.

Nu durf ik het wel – huilen – omdat iedereen het doet. En omdat het zo mooi is in de zon met overal vlinders op de mimosa.

Er is een vrouw die zingt. Een man die een gedicht voorleest over de oorlog. En de man wiens vader daar zogenaamd in de kist ligt houdt een speech, net als mijn vader toen.

'Lieve vader, ik heb je maar zo kort gekend,' begint hij.

Kinderen in witte jurkjes gooien bloemblaadjes op de kist, mijn zusje Tinka is er ook bij. Ze kijkt de hele tijd een beetje verschrikt, maar ze danst toevallig wel het mooist van iedereen. Net een elfje.

Later lopen we achter de kist aan naar het strand. Aan de rand van de duinen is een graf gegraven en daar wordt de kist voorzichtig in gezet. Er is zelfs een kleine platte grafsteen. Aan alles is gedacht.

Op het strand staan nu lange tafels met schalen fruit erop. En piepkleine boterhammetjes met zalm en avocado. Ook is er wijn en voor de kinderen rood sap van granaatappels. De witte tafelkleden wapperen een beetje in de wind. Over de speakers klinkt zachte pianomuziek.

Als we gaan zitten is het nog een beetje fris, maar algauw komt de zon over de bergen. Je hoort hier en daar al weer mensen lachen. Steeds meer zwarte kleren gaan uit, bikini's komen tevoorschijn.

'Mogen we zwemmen, denk je?' vraagt May.

Het mag.

Als we terugkomen uit de zee zijn de lange tafels net leeg geruimd. Een aantal mensen staat nog in groepjes te praten, sommigen zijn stilletjes weggegaan.

Ik zoek jou. Onder een parasol zit je, met een picknickkleedje voor je, je zonen en een paar van je beste vrienden om je heen. Je zit te praten en zelfs te lachen met de man die zijn vader verloren heeft. Hij ziet er ineens jaren jonger uit.

De dag erna is het zondag. Geen bijeenkomst in het theater vandaag. In plaats daarvan is er een kunstklas op het strand. Er is een schilderes en ook een beeldhouwer. Zij hebben grote vellen papier en verf, stiften en klei bij zich. Iedereen kan meedoen en mooie dingen maken.

Jij bent er niet, dat is wel jammer.

Maar dan zegt May: 'Heb je het al gehoord? Susa krijgt een baby. Mijn moeder is er midden in de nacht naartoe gegaan.'

Susa komt uit Amerika, ze zit in de staff altijd dicht bij jou.

'Kijk, Alicia, zo ziet het eruit als je bijna gaat bevallen,' zei mama laatst met die blik in haar ogen die ze ook altijd heeft bij sinterklaasoptochten en verliefde mensen op straat.

'Nog een wonder dat Susa nog mocht vliegen,' zei papa toen.

En vandaag is het dus zover. De baby komt eraan.

'Is Susa naar het ziekenhuis?' vraag ik.

'Nee joh, Sofía is er toch bij? En de dokter natuurlijk.'

De dokter ken ik toevallig heel goed omdat hij in Nederland

ook onze huisarts is. De vrouw die bij de begrafenis fluit speelde, is ook mijn blokfluitlerares en de fotograaf die de hele tijd foto's maakt voor een expositie is dezelfde die elk jaar met Kerstmis een portret komt maken van mijn broertje, mijn zusje en mij. Toen ik tegen papa zei dat ik dat gek vond zei hij: 'Waarom? Het is toch fijner om je geld aan vrienden uit te geven dan aan onbekenden?'

Dus Susa ligt ergens in het hotel een kind te krijgen. Kan dat zomaar?

'Zal ik een tekening voor haar maken?' vraag ik.

'Goed idee, doe ik ook,' zegt May.

De verf zit in dure tubes. We kiezen voor aquarel en de kunstenares legt uit hoe we het moeten mengen en uitsmeren. We zitten allemaal aan de lange tafels met onze voeten in het zand. Parasols houden de heetste zon tegen. Het is fijn rustig, iedereen zit heel geconcentreerd te werken. Ik begin mijn papier zachtgeel te maken. Zal ik er een beetje zand op strooien?

Dan zie ik Tony bij de muziekinstallatie. Gaat hij nu alweer muziek opzetten? Dan kan ik de zee niet meer horen ruisen.

Maar het is helemaal geen muziek. Want ineens hoor ik jouw stem over de speakers, heel duidelijk. 'Ademhalen,' zeg je, 'heel rustig ademhalen.'

Ik begin meteen te zuchten. Tot ik een andere stem hoor, een beetje pieperig: 'Ik weet niet meer hoe dat moet.'

'Gewoon in en uit. In. En uit,' zeg je.

Iemand haalt vrij hard adem.

'Is dat nou Susa?' vraag ik.

May knikt. 'Cool, hè? We hebben een live-audioverbinding met de bevalling.'

'Echt? Wist jij dat?'

'Mijn moeder zei zoiets vannacht. Dat als alles goed ging, ze dat wilden proberen. En alleen als Susa het wilde, natuurlijk.'

De zon stijgt steeds verder terwijl wij tekenen en Susa steeds ritmischer gaat zuchten. Af en toe legt iemand zijn kwast neer om te luisteren. Mijn moeder is naar de zee gelopen, mijn vader verft iets mysterieus met allemaal zwarte cirkels. Er zijn ook mensen die helemaal wild worden van de verf. Die krassen heel hard en huilen erbij. Of ze rammen heel boos op een homp klei. Gelukkig is de kunstenares er en ook een paar mensen van de staff. Zij lopen rond en leggen af en toe een hand op iemands schouder, of komen zitten om een praatje te maken. May en ik tekenen bloemen en vlinders. Een bedje van mimosa voor een gloednieuw baby'tje.

De hijgerige ademhaling van Susa werkt hypnotiserend, net als jouw rustige stem op de achtergrond. 'Nog een washandje, Beatrice, dank je.' 'Prima, Susa, je bent er nu bijna.' 'Je doet het fantastisch.' Af en toe horen we de stem van de dokter of geluiden van glaasjes water die worden ingeschonken. En de man van Susa lacht steeds een beetje zenuwachtig.

Net als ik tegen May heb gefluisterd: 'Gaat die baby nou nog een keer komen?' gaat alles ineens heel snel.

Het hijgen wordt een raar soort grommen. De dokter zegt: 'Ja, Susa, je mag.' Wat? Wat mag Susa? Iemand vraagt om water en meer washandjes. 'Gekookt water, ja, in een teiltje.'

Ik kijk om me heen. Bijna niemand zit nog te tekenen. Iedereen is doodstil, de kwast nog in de hand. Mijn moeder is naar mijn zusje aan de kindertafel toe gelopen en heeft haar op schoot getrokken.

'Kom op, Susa, ga door!' hoor ik jou roepen en dan ook de stemmen van anderen: 'Ga door, Susa, niet stoppen nu!'

'Maar het doet zo'n pijn!'

'Ga door die pijn heen, je bent er bijna.'

'Ik zie het hoofdje al,' zegt de stem van de dokter dan.

Ik staar naar de golfjes in de zee en probeer me voor te stellen wat er nu allemaal gebeurt in die hotelkamer. Ligt Susa daar bloot, met haar benen wijd? Heeft ze nog wel een T-shirt aan? Hoeveel mensen zijn er? Waar sta jij, bij haar hoofd of bij haar benen? Hoe ziet dat er eigenlijk uit als er een hele baby uit een vrouw komt? In mijn eigen babyboek zijn daar wel foto's van, maar die sla ik altijd snel over. Bruinig en een beetje slagersachtig zijn ze.

'Ga door, Susa, ga door!'

Nog meer gegrom. May lacht en trekt een raar gezicht. Ik draai mijn hoofd van haar weg, weer naar de zee, net als mama.

Grommen, stemmen, de dokter die zegt: 'Kom op nou.'

En jouw stem, als een reddingsboei: 'Je kunt dit, Susa, je kunt dit heel goed.'

Een laatste schreeuw, het hele strand houdt zijn adem in.

Dan hoor ik een baby huilen. Een piepkleine huil.

Ik ben helemaal zweterig van het heftige luisteren in die warme zon. Iets verderop glimlacht papa naar me met een rood gezicht en natte ogen. Dat ziet er gek uit.

Die avond bij het eten kom jij binnen. Je riem zit scheef door de lussen van je spijkerbroek en je ziet er moe uit, met je haar in een rommelig staartje. In je armen draag je de allerkleinste baby die ik ooit heb gezien, gewikkeld in een spierwit dekentje. Je ziet eigenlijk alleen maar een paar zwarte haartjes.

Je staat daar in het midden van de eetzaal en iedereen wordt doodstil. 'Ik wil jullie voorstellen aan Blanca Sofía,' zeg je zacht, met een beetje een hese stem. 'Het nieuwste lid van onze familie. Ze is helemaal gezond en beeldschoon. Laten we allemaal even heel veel liefde naar haar sturen.'

Ik doe mijn ogen dicht en zie een roodachtige mist van mij naar dat kleine baby'tje stromen. Liefde, liefde!

'Welkom,' zeggen we allemaal, 'welkom, Blanca Sofía.'

Ik ben op een begrafenis geweest van iemand die al heel lang dood was dus er was een lege kist, schrijf ik op de kaart voor mijn beste vriendin in Nederland. *En ik heb een baby geboren horen worden en iedereen moest huilen. Ze moeten trouwens heel vaak huilen hier en de feesten zijn fantastisch.*

De kaart blijft dagenlang naast mijn bed liggen. 'Zal ik een postzegel voor je kopen?' vraagt mama.

'Mwah,' zeg ik. En als de kaart achter mijn bed is gewaaid laat ik hem daar gewoon liggen. Ik schrijf een nieuwe kaart over de zee en de zon en dat ik al een beetje kan waterskiën en ook skaten. En dat ik Luca weer heb gezien maar dat ik niet denk dat we verkering gaan krijgen. Kusjes van Alicia.

Ik vergeet vaak dat Tinka er is. Thuis, maar hier al helemaal.

Mijn broertje is zo anders. Die gooit altijd met veel lawaai dingen om en veegt zijn snotneus af aan je nieuwe, schone shirt. De laatste tijd is hij geobsedeerd door moppen en raadsels, die hij meestal verkeerd vertelt. Hij slaat soms naar papa en wil de hele tijd op schoot bij mama – 'een fase' volgens papa. Elke ochtend is er drama bij de oppas omdat hij met mama mee wil, maar dat kan natuurlijk niet.

Tinka zit ook bij die oppas, maar het zou niet in haar opkomen om mama te helpen. Die ziet alleen maar Soesje en Muis, haar pop en haar knuffel. Andere meisjes hebben giechelzusjes met barbies, zusjes van wie ze de haren kunnen invlechten. Maar Tinka's haar is veel te dun en met de zielige vlechtjes die mama soms bij haar maakt, ziet ze eruit als een stakerige kindertekening.

'Tinka is mijn goeroe,' zei papa vroeger, omdat Tinka wel eens dode mensen zag of andere onzichtbare dingen, zoals dat papa niet met een bepaald iemand zaken moest doen. Tegenwoordig houdt ze vooral haar mond.

Daarom is het zo raar dat Tinka vandaag zomaar het theater binnenkomt.

Het is net heel spannend. Jij hebt de caterpillar naar voren gehaald.

'Caterpillar' betekent rups, maar ik heb geen idee waarom die oude man zo genoemd wordt. Misschien door zijn baard die dik en pluizig is als een cocon. Hij heeft zijn eigen hoekje bij de rots op het strand en daar legt hij je dromen uit, elke ochtend opnieuw. Soms staat er een hele rij.

Laatst was ik er met mama. We hadden allebei gedroomd: zij over zeep en ik over een jurk. Ik moest de droom twee keer vertellen, ook alsof ik de jurk was, supergrappig. De droom was zwart-wit en speelde zich af in een groot warenhuis. De jurk sprong overal tussenuit, want die was citroengeel. Of misschien wel mimosageel.

'Jij wilt niet opgaan in de grijze massa,' zei de caterpillar. Dat had ik zelf ook wel kunnen bedenken, maar toch vond ik het slim.

En tegen mama zei hij: 'Zeep is om alles schoon te wassen.' Daar was ze enorm van onder de indruk.

De droom van vandaag is best eng. De moeder van May heeft gedroomd over twee krijsende baby's die ze maar niet stil kreeg. 'Ik werd er helemaal gek van en toen stopte ik ze in een rugzak. Maar daarin waren ze gestikt. Dus toen zat ik ineens met twee stijve, dode baby's. En jij was erbij in mijn droom, Sofía, en je zei: "Hoe kun je in vredesnaam zo dom zijn? Wie stopt er nou baby's in een plastic zak zonder luchtgaten?" En toen werd ik badend in het zweet wakker.'

Ik ben heel benieuwd wat de caterpillar daarvan gaat zeggen.

Maar dan staat mijn zusje dus ineens bij de deur. Tinka moet weg, er mogen hier geen kleine kinderen zijn, waar is de oppas?

Ga weg, zegt mijn hand.

Nee, schudt Tinka.

Ga weg!

Ze geeft me nu haar bekende paniekblik. Mensen beginnen om te kijken.

'Ik moet even naar mijn zusje,' fluister ik tegen May.

'Zal ik meegaan?'

'Nee joh.'

Als Tinka mij aan ziet komen, loopt ze uit zichzelf al naar de hal.

'Wat is er nou?'

'Alicia, ik heb bloed.'

'Jezus, wat heb je gedaan?'

Om haar voet heeft Tinka een roze poppentruitje gewikkeld. Dat truitje is nu raar bruinrood van kleur.

'Ik ben in een scherpe steen gestapt.'

'Waar dan? En waarom had je geen schoenen aan? Je weet toch dat mama altijd zegt –'

'Door mijn schoen heen.' In haar hand houdt Tinka een kapotte slipper. Haar gezicht is wit als van een geestmeisje.

'Je moet gauw naar de oppas.'

'Nee, niet naar de oppas. Ik wil naar mama.'

'Dat kan nu even niet.' Jij kunt er slecht tegen als je gestoord wordt. Mama zit vlak bij de staff. Ze kijkt vast niet op, want ze zit te breien.

Daar is ze ineens mee begonnen. Thuis breit ze ook wel eens, 's avonds voor de tv. Een trui of een vest voor mijn broertje. Of een gekke sjaal voor mij. Maar sinds de baby van Susa is geboren breit ze babydekentjes, de een nog zachter dan de ander. Soms, als het heel stil is in het theater, kun je het getik van haar breipennen horen.

'Papa dan?'

'Nee, ook niet.' Die zit zo ongeveer naast jou. 'Wat is er mis met Liset?'

'Liset knijpt.'

'Wat?' Tinka kan altijd zo overdrijven. Ze wil ook nooit vreemde mensen een hand geven en al helemaal geen kus.

Vandaag is ze stiekem weggelopen toen ze een speurtocht gingen doen. En nu is ze bang dat de oppas boos wordt vanwege die wond op haar voet. Dat denk ik tenminste.

Wat nu?

Er is eigenlijk maar één mogelijkheid. We moeten wachten tot papa en mama klaar zijn.

En dat duurt nog zeker een uur.

Ik zucht de caterpillar uit mijn hoofd. Twee baby's in een rugzak, nu zal ik er nooit achter komen wat dat betekent.

'Kom, Tinka, we gaan hier zitten.'

Even denk ik dat ze flauw gaat vallen. Ik haal snel bij de wc een glaasje water voor haar.

'Opdrinken. En ademhalen. Er zit kracht in de lucht.'

'Echt waar?'

'Ja, voel maar. Als je diep ademhaalt, stroom je vol met kracht en moed.'

Ik voel het zelf ook. Als het een kleur had, zou het rood zijn. Of groen, als een bovennatuurlijk monster.

In de hal voor het theater staan een paar bankjes met zachte, gekleurde kussentjes erop. Ik wurm een kussen uit het hoesje en prop Tinka's voet erin, want het poppentruitje begint al te lekken.

'Hier zijn Soesje en Muis,' zeg ik snel als ik zie dat Tinka dat lekken ook ziet. 'Zal ik je een nieuw avontuur vertellen?'

Dat doe ik ook altijd als we lange autoritten gaan maken. Papa en mama hebben het dan lekker rustig, want ook mijn broertje vergeet te zeuren als ik eenmaal begin met mijn verhalen.

'Soesje en Muis zaten in een plastic rugzak,' zeg ik.

'Waarom?'

'Gewoon, iemand had ze daarin gestopt omdat ze te veel lawaai maakten. En die iemand was vergeten luchtgaatjes te maken, dus Soesje en Muis begonnen een beetje te stikken.'

Tinka zegt niks. Ze lijkt wel een beeld, zo stil en wit. Zou haar voet veel pijn doen? Ik durf het niet te vragen.

'Op een dag kwam er een heks. Ze was zo mooi, dat kun je niet eens bedenken. Ze droeg jurken van paars fluweel. En ze zei: "Stil maar, Soesea en Muis-O," dat waren hun heksennamen, "ik maak Onzichtbaren van jullie. Als je Onzichtbaar bent, heb je nooit meer pijn of kou, want je lichaam is er niet meer. Je komt in het allermooiste land te wonen, heel hoog boven de wolken. Daar is de prachtigste hemelmuziek, daar zijn de schitterendste kleuren en het is er altijd zonnig, als op een eeuwige zomerdag. Al je verdriet gaat weg en daar mag je dan nooit meer aan terugdenken. Je mag sowieso niet meer omlaag kijken, naar onder de wolken. Daar wonen de mensenkinderen en daar hebben jullie niets meer mee te maken. En wat je al helemaal niet mag, is verliefd worden op een mensenkind."'

Tinka luistert gehypnotiseerd, ikzelf weet bijna niet meer wat ik zeg.

'Daarna leefden Soesje en Muis in een eeuwig geluk. Als Onzichtbaren. Totdat Soesje iets doms deed, iets onvergeeflijks zelfs.'

'Wat dan?'

'Ze werd verliefd op een mensenkind. Precies dat wat verboden was, deed ze toch. Ze kon het niet helpen. Ze keek één keer naar beneden en daar zag ze een jongetje dat ze zo mooi vond en zo lief. Hij had zwart haar en zwarte ogen en de beste lach van de wereld. Vanaf dat moment kon Soesje nergens anders meer aan denken. Ze wilde alleen nog maar bij het mensenkind zijn, ook al kostte haar dat haar geluk. "Pas nou toch op," zei Muis, zeiden de andere Onzichtbaren. Maar Soesje zei: "Ik pas niet op, verliefde mensen passen niet op. Dat is nou eenmaal zo." En de heks kwam en zei: "Soesje, wat doe je?"'

'Soesea.'

'"Soesea, wat doe je?" Maar het was al te laat: Soesje kon niet meer ophouden met verliefd zijn en denken aan het mensenkind. En toen gebeurde het allerergste. Ze verdween.'

Tinka kijkt me niet-begrijpend aan.

Ik voel dat ikzelf overal kippenvel krijg. 'Natuurlijk, ze had al geen lichaam meer. Maar ze kon altijd nog alles zien en proeven en de mooie muziek horen en ook ruiken. Praten met de andere Onzichtbaren. En zelfs de zachte haren van haar geliefde mensenkind uit zijn gezicht strijken als hij sliep. Dat verdween nu

ook allemaal. Zodat er van haar alleen nog maar een gedachte-
wolk overbleef. Want de gedachten, die hielden nooit op. En dat
was het allerergste.'

Nu snapt Tinka het, heel goed zelfs. Tranen rollen over haar
wangen. Ik pak haar hand vast. 'Eng, hè?'

'Wat is hier aan de hand?'

Toch nog plotseling zijn ze klaar in het theater. Papa is een van
de eersten die naar buiten komen.

'Tinka heeft iets aan haar voet.'

'Laat eens kijken. Wat is dit, bloed?'

'Au,' zegt Tinka zacht.

'Allemachtig. Laat iemand de dokter roepen, snel.'

'En mama,' zegt Tinka.

Ik vind mama nog binnen, omringd door een paar vrouwen.
Ze houdt haar nieuwste babydekentje omhoog: lichtblauw met
zilver.

'Mama, er is iets met Tinka.'

Ze laat het dekentje zo uit haar handen vallen.

Als we terugkomen bij Tinka, heeft de dokter van een lage tafel
een behandeltafel gemaakt.

'Haar voet moet gehecht. Zonder verdoving,' fluistert May.

'Zonder verdoving? Waarom?'

'Daarvoor heeft ze er al te lang mee rondgelopen.'

'Tinka, liefje, waarom ben je niet naar mij toe gekomen?' zegt
mama bijna huilend. Ze duwt iedereen opzij en pakt Tinka's
schouders vast om haar aan te kijken.

'Alicia zei dat ik jullie niet mocht storen,' zegt Tinka.

'Uren moet ze hiermee hebben rondgelopen,' zegt papa tegen
mama. Het klinkt alsof hij boos is, maar op wie dan? Tinka en ik
hebben het samen opgelost. En de dokter is er nu toch?

'Ik heb haar verhalen verteld,' zeg ik.

Mama is inmiddels net zo wit als Tinka.

'Dit gaat pijn doen,' waarschuwt de dokter.
Tinka geeft geen kik.

Er is iets gebeurd met jouw Tony.

May heeft het gehoord van Sabina. Die zit al bij de Youth Club, waar alle grotere jongens en meisjes elke ochtend samenkomen. May wil het alleen maar vertellen als ik met haar meega naar een geheime grot bij de zee.

'Tony heeft het gedaan met een van de obers.'

'Wat heeft hij gedaan?'

'Wat denk je?'

'Maar Tony gaat met Gina.' Dat is het jongere halfzusje van Susa, die net de baby heeft gekregen. 'Of bedoel je dat niet?'

May probeert stoer te doen, maar ze durft me niet aan te kijken. 'Ja, daarom is het dus zo erg.'

Het verhaal is nog een beetje erger. Het was niet één, maar een groepje obers. En een van die jongens was nog maar vijftien en heeft spijt gekregen. Nu gaat hij misschien naar de politie.

De volgende ochtend gaat het meteen daarover in het theater. Tony moet in het midden komen staan. Hij staart de hele tijd naar de grond en zuigt zijn onderlip naar binnen. Van de grote stoere deejay is niet veel meer over.

Zo geweldig als het kan zijn om daar in het middelpunt te staan, zo afschuwelijk kan het ook zijn als je iets verkeerd hebt gedaan.

'Het kan me niet schelen dat je met jongens gaat,' zeg jij tegen je zoon. Je bent ook gaan staan. 'Of dat je het met meer types tegelijk doet. God weet wat ik zelf allemaal heb uitgespookt op dat vlak. Zelfs leeftijd maakt me niet echt uit. Maar dat je zo makkelijk verspeelt wat je met Gina hebt, dat vind ik wel erg.'

Gina is een mooi meisje met een lief gezichtje. Jij hebt gevraagd of ze er ook bij kwam in de kring, maar ze durfde niet.

'It just... happened,' mompelt Tony zonder opkijken. 'Niet nodig om daar nou zo'n big deal van te maken.'

'Wát zeg je?' Ik krimp ineen van de plotselinge scherpte in je stem.

Tony's antwoord is nu alleen nog maar gemompel.

Even dwalen mijn ogen af naar Luca, die vooraan op de grond zit en vrij onbewogen naar zijn broer kijkt. Wat denkt hij nu?

Jij draait je half om naar de jongens en meisjes van de Youth Club die bij elkaar zitten, vlak naast de staff. 'Hoe vaak zegt mijn zoon dat hij sexually hooked is on boys?'

Ik weet niet wat dat is en May ook niet, maar ik kan die woorden vast nog wel eens gebruiken. Sexually hooked.

'Nooit,' zeggen een paar meisjes van de Club.

Je kijkt weer naar Tony, die met zijn voet rondjes trekt op de grond. Meestal vind ik hem al echt een man, maar vandaag lijkt zelfs Luca ouder.

Tony haalt bijna onmerkbaar zijn schouders op.

Dan zie ik een soort bliksemflits door jou heen schieten, ik word er bang van.

Je doet een paar stappen naar achteren en valt half terug in je stoel. 'Kan iemand anders dit afmaken?' vraag je aan de staff.

Meteen staan er twee mannen op. Wat gaan ze doen?

Ze schuiven een stoel naar voren. De ene man gaat erop zitten. Het is John, jouw vriend met het rode haar. Zijn vriendelijke gezicht staat strak. Hij is groot, het zwarte T-shirt spant om zijn armen.

En dan – voor ik kan nadenken over wat er eigenlijk gebeurt of gaat gebeuren – heeft de andere man, die klein is maar heel gespierd, Tony's spijkerbroek open geknoopt en met onderbroek en al naar beneden getrokken. Met één vloeiende beweging duwt hij Tony, die niet eens tegenstribbelt, voorover op de schoot van John.

De haren op mijn onderarm gaan allemaal overeind staan. Ik voel mijn hart keihard kloppen.

'May?' Ik grijp haar vast, ergens bij haar arm. Ze legt haar eigen hand, die ijskoud is, over die van mij.

Gaan ze… gaan ze nou echt…?

O, Tony.

Ik wil zijn billen niet zien, zo groot en zo wit. Ik wil niet denken aan zijn ding tegen de benen van John.

Tony's hoofd hangt niet omlaag, hij kijkt recht vooruit, zijn ogen gefixeerd op de rij knieën voor hem. Hij spartelt niet tegen, ze hoeven hem niet vast te houden.

De hand van John gaat omhoog. Het is een enorme hand, de mijne past er wel vier keer in. Een hand met sproeten aan de buitenkant en een roomwitte, gladde binnenkant.

Pats! zegt de hand en klettert op de ronde billen. Best hard. En nog een keer en nog een keer. John is sterk en bij elke klap spannen zijn spieren zich aan. Pats! Pats! De witte billen worden langzaam rood. Drie, vier, vijf, ik stop met tellen. Is er al bloed?

In de verte zie ik mama wegkijken, haar gezicht lijkt een wassen beeld.

En jij, hoe kijk jij? Je zit ineengerold in je stoel en bijt op je vuist. Je ziet er zo klein uit, ik wil je wel in mijn armen nemen. Wie wil dit nou meemaken met zijn eigen kind? Gelukkig zitten je vriendinnen achter je: Beatrice heeft haar hand op je schouder gelegd, iemand anders streelt je arm.

Dan gebeurt er iets geks. Een van de mannen van de staff springt op en sleurt zijn zoon naar voren, Matteo, een vriend van Tony. Matteo's vader neemt niet eens de moeite een stoel te pakken, hij gooit Matteo gewoon op de grond naast Tony en rukt ook zijn broek omlaag. Matteo stribbelt wel tegen, maar zijn vader is sterker en gaat half boven op hem zitten. En ook hij begint te slaan, hard, harder.

'Heeft Matteo ook…?' vraag ik fluisterend aan May.

Ze schudt haar hoofd, bijt op haar lip. 'Maar hij wist er wel van. Iedereen van de Club. Ze hadden het moeten vertellen.'

Hoe zou het voelen om zo'n pak slaag te krijgen? Ik denk dat je billen er heel heet en tintelend van worden. Voor de pijn zou ik niet bang zijn. Maar twee van die grote mannen die zo sterk zijn en al hun kracht in de strijd gooien, dat ziet er gevaarlijk uit. Als auto's die niet op de handrem staan en recht op je af komen rollen vanaf een heuvel.

Ik kijk om me heen om te zien of er nog meer jongens de kring in worden gesleurd, maar het blijft bij Tony en Matteo. Tony nog steeds doodstil en kaarsrecht, Matteo jammerend.

'Genoeg,' zeg jij.

En dan is het ook onmiddellijk voorbij. Matteo en zijn vader lopen met de armen om elkaar heen geslagen naar hun plek terug. Ze huilen allebei.

Tony hijst zijn broek op, dat gaat niet helemaal soepel. Zijn strakke onderbroek zit scheef en ik zie nog steeds een stuk bil. Hij krijgt ook de knopen niet goed dicht. Met een halfopen broek loopt Tony langzaam naar Gina toe. Zij huilt ook al, heel mooi en stilletjes.

Een beetje onhandig blijft Tony voor haar staan. Gina kijkt naar hem op. Dan klopt ze op de stoel naast haar. Voorzichtig (zie je wel dat je er gloeiende billen van krijgt) gaat Tony zitten en als ik weer kijk, heeft hij zijn arm om Gina heen geslagen en leunt zij met haar hoofd tegen zijn schouder.

Mama vindt dat papa er wat van moet zeggen. 'Waarom nou dat slaan? Het zijn nog halve kinderen.'

Maar als papa de dag erna is opgestaan in de kring, lach jij alleen maar. 'Vertel me niet hoe ik mijn zoon moet opvoeden, Simon. Het probleem is eerder dat ik te veel van hem hou dan te weinig.'

Dan staat Tony zelf op en zegt dat het stom klinkt, maar dat hij eigenlijk blij is. 'Naar woorden luister ik niet zo goed.' En dat ze met de Club iets hebben verzonnen om weer vrienden te worden met de obers. Een voetbalwedstrijd tussen hen en ons. Heel serieus, met cheerleaders en een goksysteem voor wie er gaat winnen en een groot feest na afloop in de skatebaan.

Dat is ook precies wat er gebeurt. May en ik doen auditie voor cheerleader, maar ze zeggen dat we nog te jong zijn. Dat is zo ongeveer de grootste belediging die ik in tijden heb gehoord. Alsof ik niet sexy kan dansen in een bikini met pompons eraan. Alsof ik niet snap hoe dat werkt.

Een paar dagen later is de dokter aan de beurt, een dikke man die altijd naar zweet ruikt, zelfs als hij net uit het zwembad komt. En naar nog iets anders, riool-achtig, alsof er stiekem in hem altijd iets ligt te bederven. Dat ruik je alleen maar als hij heel dicht bij je komt, om naar je hart te luisteren of zo.

Verder is hij een goeie dokter. Toen May laatst in slaap was gevallen in de zon en ze zo erg verbrand was dat de vellen erbij hingen, zei hij: 'Stop haar in een kokend heet bad. Zo heet als ze kan verdragen.'

Dat klonk niet logisch, maar het werkte toch. Daarna had May veel minder pijn.

Vandaag is de dokter behoorlijk vervelend. Hij is opgestaan in de kring, maar ik snap eigenlijk niet waarom. Hij staat daar maar te zuchten en te steunen. Dat hij niet echt blij is met zijn werk, maar ook niet weet wat hij anders zou moeten. Dat hij een vrouw mist in zijn leven, maar nooit eens iemand tegenkomt die hij interessant genoeg vindt. Dat hij altijd en overal pijntjes heeft en dat het nooit echt iets ergs is, maar dat hij, omdat hij nou eenmaal huisarts is, wel altijd het ergste denkt.

Meestal heb jij aan een paar slimme vragen genoeg. Dan verandert een saai verhaal voor mijn ogen in een film – een dramatische film, een liefdesfilm, een griezelfilm. Maar bij de dokter verandert er helemaal niks en ik ben niet de enige die zich dood zit te vervelen.

'Get out of the way.' Hoewel hij een stuk verderop zit, kan ik zien dat papa dat tegen zijn buurman zegt. Hij wijst naar het prikbord. Daar worden wijze spreuken en mooie tekeningen opgeplakt. Vaak zijn die spreuken teksten van jou. Laatst heeft iemand een tekening opgehangen van allemaal door elkaar heen krioelende ganzenkuikens, met daarbij de tekst: *Lead, follow, or get out of the way*. Heel grappig.

'Zullen we gaan?' vraagt May.

Ik knik. We willen net door de deur naar buiten gaan, als het gebeurt. May knijpt ineens keihard in mijn arm en wijst.

Jij bent opgestaan en staat nu recht tegenover de dokter. Even snap ik niet wat er niet klopt, maar dan zie ik het: jij hebt je t-shirt uit. Je staat zomaar tegenover de dokter met ontbloot bovenlijf. Ik zie je van achteren, dus ik zie niet wat de dokter ziet. Al kan ik het me wel voorstellen: die door de kanker weggevreten borst. Is dat je plan? De dokter iets écht ergs laten zien: kijk, dit is kanker, dit was kanker en hier sta ik dan?

En ja, dan begint de dokter te jammeren, steeds harder en wanhopiger. Terwijl hij zijn ogen niet van jou af kan houden – net als iedereen trouwens.

Ik vind het eng. Ik vind het vies. Ik vind het naar. Maar vooral vind ik het dapper. Dat je dat durft. Wat ze ook over jou kunnen zeggen: je bent niet laf. En ik – dat besluit ik nu voor eens en voor altijd – ga voortaan ook altijd dapper zijn in mijn leven.

Dappere daad nummer één: die avond tijdens het eten ren ik zomaar op jouw tafel af. Jij zit in het midden, als altijd, en voor je iets kunt zeggen, geef ik je een zoen. Dan ren ik weer weg en ik kijk niet meer om.

Muziek. Er is altijd overal muziek. De keiharde undergroundmuziek van Tony waar je je voeten op stuk danst tot je helemaal draaierig en dronken bent van geluk. Het dromerige elfengetingel en de aanzwellende violen tijdens de yogalessen op het strand als de zon opkomt. En na het eten kruipt er altijd wel iemand achter de piano, of pakt een van de vijf gitaren voor de ouwe hippieliedjes waar jij zo van houdt. Zo leer ik Engels. *I am, I said. I am, I cried. And I dreamed I was flying. All the joy that is mine today. And I love you, I love you, I love you like never before...*

Meer nog dan alle dramatische verhalen in het theater is het de muziek die me aan het huilen maakt. Muziek die iets van je af schraapt. Totdat het pijn doet en ik wil dat het ophoudt – en tegelijkertijd dat het opnieuw begint. Als korstjes die je openkrabt. *You are the sun, I am the moon. You are the words, I am the tune.* Ik wil dat ook, later: zo muziek kunnen maken. Intussen download ik voor eeuwig de soundtrack van deze vakantie – en dan te bedenken dat er nog zoveel gaan komen!

Muziek is er ook bij de opera *Aida*, die we aan het eind van de vakantie opvoeren. Het theater wordt een echte opera-arena. Toevallig zijn er twee operazangers mee, dus zij zijn Aida en Radames. Een van de grote zalen in het hotel is veranderd in kostuumatelier, de skatebaan is de decorwerkplaats.

Papa is de baas van al die mensen. May en ik zijn buikdanseressen. Dat betekent vooral veel wachten en kijken naar hoe papa het doet.

Hij is streng. Hij vloekt en hij stampvoet. Hij maakt de pruiken maakster aan het huilen en ook een klein kindje dat een brief op het podium moet brengen, maar in plaats daarvan een *Donald Duck* bij zich heeft.

Ik ben er al bang voor en dan gebeurt het ook. 's Ochtends in het theater staat de operazangeres op om te zeggen dat papa heus heel goed is als regisseur, maar dat hij de mensen te weinig complimenten geeft en te snel boos wordt. Dat ze er zo geen zin meer in hebben.

'Kom eens staan, Simon,' zeg je ernstig.

De stoel valt bijna om als papa overeind komt. Ik kruip weg tegen May en ze slaat haar arm om me heen.

Wat doe je nou? Andere mensen mag je uitschelden, zelfs slaan als het moet, maar niet papa. Ik dacht dat je wel wist hoe hij was. Je moet hem gewoon een beetje laten, dan is het allemaal niet zo erg.

En inderdaad, papa wordt eerst alleen maar heel chagrijnig. Hij is een van de weinige mensen hier die niet stiekem een beetje bang voor je zijn, denk ik. Dus hij moppert dat jij je er niet mee moet bemoeien. Dat jij toch ook geen zin hebt in middelmatigheid. Dat hij geen verpleegster is voor mislukte mensen.

Je wordt niet boos. Je trekt geen kleren uit, zoals laatst bij de dokter. Maar je praat het ook niet goed – wat mama en ik altijd doen.

'Zo ga je gewoon niet met mensen om, Simon,' zeg je.

'Dat beslis ik zelf wel.'

'Is dat zo? En dan?'

'Dan niks.'

'Dan hou je verdomd weinig vrienden over.'

'Ik heb ook verdomd weinig vrienden,' zegt papa en het lijkt wel alsof hij er trots op is.

Het gesprek gaat nog een tijdje zo door, het doet me aan een schaakwedstrijd denken.

Wie papa van zijn stuk kan brengen, is echt knap. Dat is zo fijn aan hem, hij is een rots waar je je altijd aan kunt vastklampen.

Maar het lukt je toch.

'Doet je hart pijn?' vraag je.

'Wat?'

'Nu, op dit moment. Je hart…?'

'Ja,' zegt papa dan, en ik ben zo verbaasd. Heel scherp zie ik hoe hij daar staat: dat lange lijf een beetje gebogen, zijn iets te kleine achterhoofd met de altijd vettige haren.

Even is het stil. Dan vraagt papa zacht: 'Hoe wist je dat?'

'Omdat mijn eigen hart pijn doet,' zeg je.

En dan begint papa zomaar te huilen. Niet heel lawaaiig, niet heel vies met snot of zo, maar toch.

Gelukkig sla jij je armen om hem heen in een eindeloze omhelzing.

De rest van de dag durf ik papa bijna niet aan te kijken. Zijn gezicht is zo rood en zijn neus glimt.

Maar bij de repetities voor de *Aida* die avond is hij weer gewoon de papa die ik ken. Of nee, een beetje liever. En iedereen doet enorm zijn best voor hem.

Ik heb nog nooit zoiets gehoord als de *Aida*. Na al die repetities kan ik sommige stukken helemaal meezingen en ik ken daardoor nu allemaal Italiaanse woorden die ik nooit meer ga vergeten. Celeste. Dolce. Morire. Plausi. Padre.

De opvoering onder de sterren lijkt wel één lange dans. Pas als de laatste noot is gezongen, durf ik uit te ademen. De muzikanten, de zangers, de kinderen, de vrouwen van de kostuums, de productieleider, iedereen heeft het mooier en beter gedaan dan ooit. Grappig genoeg is mijn broertje het grootste succes van de avond in zijn rol van varkentje aan het spit. Het applaus houdt nooit meer op en dan wordt papa door de muzikanten op hun schouders gehesen en rondgedragen. Ik plof bijna van trots. Daar zit hij scheef en onhandig te stralen, zijn hele hoofd nattig van het blije zweet.

Verderop staan al weer tafels klaar met fruit en taart en vlees.

Niemand schminkt zich af, ik ga gewoon in mijn rinkelende buikdanskleren aan tafel zitten. De glitteroogschaduw zit inmiddels op mijn wangen en mijn borst en zelfs aan mijn handen.

Het is het laatste weekend van de vakantie en er worden prijzen uitgedeeld: voor wie zich deze weken het mooist heeft verkleed tijdens al de feesten, voor wie het best heeft geholpen om alles voor elkaar te krijgen, zelfs voor dapperheid en nog wat dingen die ik niet precies snap. Het moet geweldig zijn om zo'n prijs te krijgen uit jouw handen. Misschien dat ik... Of anders volgend jaar...

We eten totdat de kaarsen een voor een uitwaaien. Ik ben helemaal duizelig van moeheid en tegelijkertijd hoor ik overal nog de triomfmars.

Mama brengt me naar bed, dat is best lang geleden. Ze helpt me de dikke laag kohl rond mijn ogen weg te halen. Best jammer. Smokey eyes, zo noemden de vrouwen van de make-up het. Het maakte me mooi en mysterieus.

Luca keek vanavond best vaak naar me. Hij kwam zelfs even bij May en mij staan om te zeggen dat hij ons twee de meest sexy buikdanseressen van de avond vond.

Daarna ging hij heel lang praten met Sabina en veel te dicht tegen haar aan zitten. Dat soort dingen gebeuren nu de hele tijd op het eiland, vast omdat de vakantie bijna voorbij is. Iedereen is een beetje verliefderig, we willen elkaar zo veel mogelijk aanraken voor de zon opkomt.

Maar Luca's woorden heb ik als geluksstenen bij me gestoken om nog heel vaak even tevoorschijn te kunnen halen.

En dan vertelt mama ook nog, terwijl ze mijn haarborstel ontdoet van een vieze berg geklitte haren, dat jij naar haar en papa toe bent gekomen en zei: 'Your oldest daughter is getting really beautiful.'

'Echt? Zei ze dat echt?'

Mama knikt.

Ik kijk naar mezelf in de spiegel. Mijn net iets te lange armen en net iets te dikke buik. Mijn lange slierthaar in een onduidelijke kleur: niet blond of bruin en zeker niet Italiaans zwart. Maar toch.

Beautiful, beautiful. Ik ben beautiful.

De volgende dag moet papa weer in het midden komen staan.

'Simon,' zeg jij, 'take off your pants.'

Wat? Ik kijk geschrokken naar May, maar ik heb het goed verstaan.

En papa doet het nog ook. Hij wiebelt op zijn ene been en valt half om als hij zich uit zijn ouwe spijkerbroek wurmt.

'En je shirt.'

Papa kruist zijn armen en trekt zijn shirt binnenstebuiten over zijn hoofd. Wat is hij dun en wit, met overal haren. 'Het geld groeit me niet op mijn rug, daar groeien alleen maar pukkeltjes.' Dat zegt hij altijd. Gelukkig valt het mee. Wel heeft hij een stomme onderbroek aan, zo eentje met een plasgat. Dat hebben alleen heel ouwe mannen. Moet die nu ook nog uit? Nee toch?

Maar dan strek je je arm naar voren met daarin mooie, nieuwe kleren, keurig opgevouwen. Een zwarte korte broek, zoals veel mannen in de staff dragen. En een nieuw staffshirt, deze keer met een rode band erop. Zo'n shirt heeft verder alleen jouw vriend John.

Als papa het allemaal aangetrokken heeft, ziet hij er anders uit. Belangrijker.

Jij houdt een lang verhaal dat ik niet begrijp. May moet het voor me vertalen.

Het komt erop neer dat papa voor je moet gaan werken. In New York woon jij bij een oud pakhuis waarvan jullie een soort coole plek hebben gemaakt met winkeltjes en bedrijfjes. Zoiets wil jij nu ook in Amsterdam starten, dan kan iedereen elkaar ook tussen de vakanties door zien en niet alleen in zo'n lelijk gebouw als waar ik Luca voor het eerst heb ontmoet. Er moet een nieuwe fijne plek komen met de sfeer van het eiland, en papa moet dat gaan regelen. Zoals John de baas is in New York, moet papa dat worden in Amsterdam.

Hier gebeurt iets belangrijks, dat voel ik wel. Iets wat mijn leven gaat veranderen – en zeker dat van papa.

Ik vind het best suf hoe mama reageert. Ze zit daar maar zo'n beetje aan de zijkant en kijkt amper op van haar breiwerk. Of zou ze het echt niet begrijpen? Haar Engels is niet al te best. Lieve vrouwen van de staff lachen haar toe, maar ze lacht niet eens terug.

May begrijpt het prima. Die zegt met een zucht: 'Nu mag jij vast ook bij de Club.'

May heeft gelijk.

De volgende dag is de laatste op het eiland. Ik snap niet hoe het kan dat alles nu ineens al voorbij is. Waarom duren de fijnste dingen altijd het kortst en erge dingen zoals buikpijn zo lang?

'Je gaat op Engelse les,' zegt papa. 'Dat heeft Sofía gezegd, dat jij snel Engels moet leren. En zodra we een nieuwe plek gevonden hebben, starten we in de weekends met een Nederlandse editie van de Youth Club, voor jonge mensen vanaf een jaar of twaalf. Tony gaat dat leiden. Zodra je Engels goed genoeg is, mag jij erbij.'

'Tony? Maar die woont in Amerika.'

'Hij zal elke maand een weekend in Amsterdam zijn, net als Sofía zelf.'

Ik omhels papa zo hard als ik lang niet gedaan heb. Hij lacht.

Het is toch niet voorbij!

Nog één keer eten we samen, een boerenpicknick.

Jij laat alle obers komen. Ze krijgen staffshirts en we zingen liedjes voor ze om ze te bedanken. Zelfs Tony is er, van ruzie is niks meer te merken. Hij heeft USB's met zijn beste mixen en deelt die uit. Er wordt bijna om gevochten.

Ik wil zo graag van jou afscheid nemen, maar dat wil nu iedereen. Steeds als ik naar je toe loop, ben je omringd door andere mensen. Lachende mensen, omhelzende mensen, huilende mensen.

'Sofía zal wel doodmoe zijn,' zegt papa liefdevol.

'Gaan we?' vraagt mama. En: 'Heb jij de hotelkamer nog een keer goed gecheckt?'

Ik loop een stukje van haar weg, de oprijlaan af.

Ik wil je nog zeggen dat ik... En laten zien hoe ik... En dat jij, en dat ik en dat wij samen...

Maar dan staat er ineens een taxi klaar om jou naar je vliegtuig te brengen.

Ik ren erheen. We staan nu met een groepje om de auto, zomaar een beetje van je te houden. Met het portier in je hand kijk je om je heen. Naar het hotel, de bergen vol gele bloemen en bruinrood gras. Naar ons, met je allerliefste lach.

Iemand begint te zingen. *Somewhere over the rainbow.*

Het lijkt wel alsof je jarig bent of net een Oscar hebt gewonnen. Je stapt nog steeds niet in en luistert het hele lied af.

Dan komen je zoons erbij, en John. Koffers worden ingeladen. Daar ga je.

'Luca! Dag Luca.'

Hij lacht zijn onweerstaanbare lach.

De auto rijdt heel langzaam de oprijlaan af en we lopen er allemaal achteraan. We zingen nog steeds. Heel zacht en smekend.

Close your eyes and I'll kiss you
Tomorrow I'll miss you
Remember I'll always be true
And then while I'm away
I'll write home every day
And I'll send all my loving to you...

Onze eigen taxi naar het vliegveld gaat veel sneller en het vliegtuig maakt een oorverdovend geraas. Het opstijgen voelt als scheuren. De lucht versplintert, terwijl het vliegtuig onverbiddelijk stijgt en stijgt, dwars door alle barrières, mijn herinneringen jammerlijk met zich mee sleurend als vliegers in de regen. De tranen lopen als douchestralen over mijn wang. Ik knijp mijn ogen dicht om me schrap te zetten tegen de pijn, echte schrapende pijn net onder mijn hart. Het licht uit, de zon weg...

Lucht en leegte.

Vooruitgeschoven flarden in mijn hoofd van een Nederland dat regenachtig is en altijd grijs. Stomme onzindingen op school, feesten die geen feesten zijn, altijd en overal saai gepraat, niets wat echt leuk is of belangrijk. Hoe kan ik niet bij jou zijn, hoe kan ik leven zonder jou? Wat moet ik dan dóén? Ik wil alleen maar blijven dansen, écht dansen waardoor je alles vergeet – waarom kan dat eigenlijk niet?

Papa zit naast me. Hij kijkt steeds naar me. 'Gek, hè?'

'Ik wil niet dat het voorbij is, papa.'

Heeft hij nou ook tranen in zijn ogen? Papa?

'Je zult zien, als je een paar dagen in Nederland bent, is alles weer fijn en vertrouwd,' zegt mama achter me. 'Je eigen kamertje. Je vriendinnen. Je nieuwe school! Ik ben benieuwd of je schoolboeken al zijn aangekomen.'

Als ik nou ergens *niet* benieuwd naar ben...

Ik klamp me vast aan de plannetjes in mijn hoofd. Ik ga Engels leren en misschien ook wel Italiaans. Ik ga bij de Club! Nog maar elf maanden en dan is het weer zomer, ik ga de tijd voortduwen. Ik heb foto's, de muziek, de dingen die jij tegen mij zei. Ik ben bijzonder, dat neemt niemand me af. Ik ga alles opschrijven, maak beloftes om de rest van mijn leven elke zomer terug te gaan. Ik ga heel hard groeien.

CȜ

Op de middelbare school ben ik de enige die nog geen twaalf is. Als kleuter heb ik een klas overgeslagen, toen had ik al haast.

En als na de kerstvakantie eindelijk de Club van start gaat, ben ik ook daar de jongste.

Papa vindt een verlaten ziekenhuis midden in Amsterdam. Maandenlang zijn ze aan het verbouwen, papa is bijna nooit meer thuis. En ondertussen studeert mama elke avond uit haar oude tandartsboeken. Omdat ik zelf ook barst van het huiswerk, zijn we meteen veranderd in een totaal ander gezin. Niet meer twee uur doen over het avondeten, niet meer voorlezen op de bank en veel minder vaak zelfgebakken koekjes bij de thee.

'Dat heeft Sofía gedaan,' zegt Tinka als mama ontdekt dat we de laatste tijd een stuk minder gezond eten.

Tinka kan nou eenmaal slecht tegen veranderingen. Ik schilder mijn kamer elk jaar in nieuwe kleuren, maar haar kamertje ziet er nog precies zo Winnie de Poeh-achtig uit als toen ze vier was.

Ook mijn oom doet kinderachtig over jou. Al zolang ik me kan herinneren komt hij op vrijdagmiddag bij ons. Dan schaken we samen, dat heb ik van hem geleerd, en mama kookt altijd extra lekker omdat mijn oom voor zichzelf nooit goed eten maakt – dat heb ik haar horen zeggen. Na het eten vertrekken hij en papa dan naar het toneelclubje dat ze samen runnen.

'Je zult zien hoe prachtig het wordt,' zegt papa die vrijdag. Ons prikbord in de keuken, dat eigenlijk bedoeld is voor briefjes van school, hangt vol computertekeningen van een theaterzaal, een restaurant, ruimte voor kleine winkeltjes, slaapvertrekken voor gasten. En de mooiste kamer is voor jou, voor als je komt.

'Wie stopt er nou al zijn geld in zulke onzin? Zelfs je pensioen?' antwoordt mijn oom.

'Omdat ik geloof dat het werkt,' zegt papa.

'Wat nou "geloof"? Je lijkt wel zo'n –'

'Moet je luisteren,' zegt papa, alsof hij een leerling van school een inhaallesje aan het geven is. 'Dat heet nou visualisatie. Als je het maar graag genoeg wilt, krijg je het voor elkaar. Dat – en door hard te werken natuurlijk.'

'Pfff,' blaast mijn oom.

'En dat pensioen krijg ik later met driedubbele winst terug. En ik niet alleen.'

Dan komt de opening. CASA NOSTRA staat er op de gevel – zo heet het in New York ook. Jij bent er ook bij vandaag, met John en met Tony. En heel veel mensen van wat nu de Nederlandse staff gaat worden.

Het thema is 'Premiere Party' en zelfs de rode loper ligt klaar. Er zijn fotografen en cameraploegen en die avond is er een film-sterrenfeest, met papa als Marlon Brando en mama als Marlene Dietrich. Dat zijn oude mensen, net als Sophia Loren, maar die is misschien toch wel cool want jij speelt haar, je naamgenoot. Met extensions en kunstwimpers. Ik denk dat dat Sophia Loren mijn lievelingsfilmster wordt.

Het enige jammere van de avond is mijn oom, die steeds bij mij komt klagen.

'Straks gaat je vader ons toneelgroepje ook nog opdoeken,' gromt hij.

Ik houd mijn adem in, want toevallig heb ik papa horen zeggen dat dat precies is wat hij van plan is. 'Stoppen met lesgeven en met dat clubje. Ik begin opnieuw met privétoneellessen binnen Casa Nostra. Alles helemaal op mijn eigen manier.'

Er komt een verschrikkelijke ruzie van, de volgende vrijdag al. Ik lig in mijn bed als ik harde stemmen hoor. Papa die schreeuwt.

Mijn oom die nog harder schreeuwt. Waar is mama?

'Kom dan gewoon met me mee,' roept papa.

'In die commune? Dat nooit!' roept mijn oom. 'We waren toch juist altijd...' De rest kan ik niet verstaan.

'Het zou anders verdomd goed voor je zijn als je eens...'

'Wát zeg je?' Er klinkt een keiharde bonk, alsof er een stoel omvalt.

'Jij egoïstische...' Nog meer gebonk. Gegrom. Vechten ze nou? Echt?

Hoewel ik doodsbang ben, klim ik uit mijn bed. Ik moet weten wat er gebeurt.

Als ik halverwege de trap ben, zwiept de deur van de huiskamer open en zie ik papa en mijn oom door de gang rollen. Grommend en trappelend, vechtende honden op leven en dood.

Ik durf op slag niet meer verder naar beneden te lopen. Maar terug kan ik ook niet meer.

Zoiets engs heb ik nog nooit gezien. Twee van die keurige lange heren die elkaar afmaken. Straks vermoorden ze elkaar nog echt. Zulke grote mannen mogen niet vechten. Waar is mama toch?

Net als ik heel hard wil gaan gillen, wringt mijn oom zich onder papa vandaan.

'Laat ook maar,' roept hij, 'ik ga al.'

'En ga er maar niet vanuit dat je ooit nog terug kunt komen!' roept papa hem achterna. 'Op het werk niet, maar in mijn huis ook niet. Of bij mijn gezin.'

De voordeur valt zo hard dicht dat er glas breekt.

En dan is het eindelijk stil.

Ik wacht tot ik papa naar zijn werkkamer in de schuur zie gaan en dan sluip ik de kamer binnen. 'Mama?'

Daar zit ze. Ze breit een sjaal voor mijn broertje in de kleuren van zijn voetbalteam. Groen en rood.

Dat ziet er zo raar uit dat ik me even afvraag of ik alles heb gedroomd.

'Mama?' zeg ik nog een keer.

'Ga naar bed, Alicia.'

'Maar papa... Ik hoorde...'

Ze kijkt nog steeds niet op. Huilt ze? Ik zie het niet. De brei-pennen tikken er vrolijk op los.

'Je hoorde helemaal niks, want je had allang moeten slapen,' zegt mama.

Met wie moet ik nou schaken? wil ik vragen.

Maar mama doet nog steeds alsof er niks gebeurd is, zelfs alsof ik daar niet recht voor haar neus sta te bibberen in mijn dunne pyjamaatje. Ze laat me gewoon door het donker teruglopen naar mijn ook al donkere slaapkamer en komt me niet eens nog even instoppen zoals ze altijd doet als ik 's nachts mijn bed uitkom.

Als ik weer in mijn bed lig, vind ik dat nog enger dan die twee vechtende mannen.

Kindertandarts wil mama worden. En dan vooral voor kinderen die eigenlijk doodsbang zijn voor de tandarts.

Op een dag komt ze thuis met afhaaleten in plaats van echte boodschappen.

'Hé,' zegt papa, 'heb je niet gekookt? Duur grapje.'

'Ik was bij Tom,' zegt mama. 'Weet je nog, van mijn studie?'

Bij ons aan tafel is het altijd heel gezellig. Iedereen mag mee-eten. Papa vertelt grappige verhalen over het theater, ik vertel over mijn school, mijn broertje gooit meestal wel een keer of drie zijn glas water om en dan ruimt mama dat weer op.

Vandaag is het anders. Vandaag is het mama die praat.

Met rode wangen vertelt ze over de praktijk van die Tom, en dat ze haar daar een plekje hebben aangeboden. 'Ze hebben al een kamer die speciaal is ingericht voor de behandeling van kinderen. Tom en zijn collega's zijn niet echt dol op kinderen. Ze bieden mij al hun patiëntjes aan.'

'Aardig van ze,' zegt papa met zijn mond vol eten.

'Ik zou meteen kunnen beginnen. Om te beginnen twee dagen in de week, bijvoorbeeld woensdag en donderdag. En dat kan dan langzaamaan meer worden.'

'Wacht even,' zegt papa, 'bedoel je nou wat ik denk dat je bedoelt?'

'Ik bedoel wat ik zeg,' zegt mama een beetje kattig.

'Maar dat ga je natuurlijk niet doen?'

'Ik zie niet in waarom niet. Het is een fantastische manier om –'

'Luister nou eens, Lydia,' zegt papa en hij legt zijn mes neer. Meteen luisteren we allemaal, ook mijn broertje en zusje en ik. 'Ik neem aan dat je jezelf in moet kopen?'

'Er is wel een klein bedragje, ja.'

'Wat dacht je nou eigenlijk? Dat ik voor niks dat hele Casa Nostra heb opgezet? Met al ons spaargeld erin? Daar heb je je praktijkruimte. Pal naast de dokter.'

'Maar in een praktijk met andere tandartscollega's kan ik veel beter...' Mama wordt een beetje zenuwachtig, zie ik. We kennen die klank in papa's stem.

'Je begrijpt het echt niet, hè?' zegt hij. 'Of wíl je het niet begrijpen? We proberen hier samen iets op te bouwen. Onze eigen Casa Nostra, met onze vrienden, onze eigen families.'

Mama schuift haar bami van de ene kant van haar bord naar de andere.

Even is het doodstil. Mijn zusje en ik kijken naar mama en dan weer naar papa, als bij een tenniswedstrijd. Zo moeilijk is het toch niet wat papa zegt?

Mijn broertje gooit zijn vork kletterend op de grond.

'Het is heel simpel,' zegt papa als hij weer boven de tafel komt met de vork in zijn hand. 'We hebben een afspraak, een commitment, en die geldt ook voor jou.' Hij wijst met de vork. 'Net als een huwelijk: je gaat er samen voor. Als familie.'

'Maar –'

'Ik wil er geen woord meer over horen.'

Gelukkig houdt mama verder haar mond.

Als ik later de keuken inloop, zie ik haar bij de prullenbak staan, waar ze al het overgebleven eten in kiepert, bak na bak, bord na bord. Ik zie zelfs een mes verdwijnen. Het is maar goed dat papa het niet ziet, want goed eten weggooien, zeker als het zulk duur eten is, is een enorme verspilling.

Uiteindelijk komt de dokter helemaal niet in Casa Nostra. In de ruimte naast mama komt een nepdokter, die alles weet van kruiden en genezende stenen.

'Je staat ervan te kijken hoe weinig medicijnen je eigenlijk nodig hebt,' zegt papa, 'en als er echt iets is, kunnen we altijd terecht bij Marian.' Dat is de zus van mijn blokfluitlerares, ze is eigenlijk nog in opleiding.

'Waarom gaan we nooit meer naar onze eigen dokter?' zeurt Tinka. Het is natuurlijk ook wel gek dat onze oude dokter nog steeds om de hoek zit en wij met buikpijn helemaal naar Amsterdam gaan.

'Papa en mama moeten toch elke dag die kant op, dat is toch best makkelijk?' zeg ik. Casa Nostra draait nu op volle toeren. Ook in de weekends moet papa er nog vaak heen. Om te werken, of omdat er weer een of ander feest is met de vrienden.

'Hij begreep het gewoon niet, de dokter,' zegt papa.

'Wat niet?' Ik denk aan die keer dat jij je shirt voor de dokter uittrok en hoe suf hij toen keek.

'Casa Nostra. Waar we mee bezig zijn. Die man was één brok negativiteit.'

Dan is het maar goed dat hij weg is. Tegen Tinka zeg ik: 'Ik vond hem eigenlijk altijd al stom. Zijn handen waren koud en hij rook naar oud vlees.'

'Ik vond hem aardig. Hij heeft mijn voet beter gemaakt.'

Soms lijkt het wel alsof Tinka doof is.

Als ik de dokter later tegenkom in het winkelcentrum, kijk ik gauw de andere kant op.

Ik heb nu twee levens. Terwijl mijn schoolvriendinnen in het weekend op het hockeyveld staan, een beetje shoppen en huiswerk maken, ben ik alleen maar aan het denken en dromen over de maandelijkse weekends bij de Youth Club in Amsterdam, die duren van vrijdagmiddag tot en met zondag. Overdag kletsen we over grote en kleine problemen onder leiding van Tony, die al bijna net zo slim is als jij. En 's avonds gaan we de stad in. Ik kom met het grootste gemak binnen in kroegen, disco's en bij zestienplusfilms. Het helpt natuurlijk ook dat ik er oud uitzie voor mijn leeftijd.

Na een paar maanden kijken naar anderen durf ik zelf ook een keer op te staan in de kring van al mijn vrienden. Ik ben dat fijne gevoel van de vakantie nog niet vergeten, toen ik tegenover jou stond en Follow the leader moest spelen.

'Ik wil wat vertellen,' zeg ik. Ik heb erover nagedacht wat belangrijk zou kunnen zijn. Iets met twijfel aan jezelf en liefdesproblemen, daar gaat het meestal over. Gisteren nog hebben we uren geluisterd naar Josien, een best wel oud meisje dat steeds op foute jongens valt. Uiteindelijk moest ze heel erg huilen en nam Tony haar op schoot. Die avond lachte ze weer en daarna heeft ze uren gedanst.

'Ik verveel me zo op school,' zeg ik.

Niemand reageert.

'Ik zou wel graag een vriendje willen zoals Luca,' gooi ik eruit.

Tony kijkt op. 'Hebben we het over mijn broer?'

IJverig begin ik te vertellen over toen ik negen was en hoe hij toen elke avond bij me kwam. Het is best een romantisch verhaal, maar het werkt hier niet, dat zie ik wel.

'Dat is lang geleden,' zegt Tony. 'En ik zou me maar niet blind-staren op Luca. Die is nog niet bepaald toe aan iets vasts.'

Er wordt gegrinnikt. De mooie Sabina zucht veelbetekenend. Ik wou dat May hier was, die zegt altijd dat Luca en ik een soort chemie hebben die zelfs zij voelt knetteren. Maar May is natuur-lijk in Amerika.

Ik begin een beetje in een kringetje te lopen – en in een krin-getje te praten, dat hoor ik zelf ook. 'Maar toch weet ik het alle-maal niet goed,' zucht ik. 'Ik sta elke dag op en dan denk ik: is dit alles? Die stomme groepjes op school. Elk groepje heeft zijn eigen kleren, zijn eigen muziek, zelfs zijn eigen taaltje. Je kunt niet de ene dag in een ordinaire paarse trainingsbroek naar school en de dag erna met de nieuwste merkschoenen aan komen zetten. Maar als je nou geen zin hebt om te kiezen? Dan hang je overal dus maar zo'n beetje bij. Natuurlijk heb ik wel vrienden, maar dat vind ik vaak zo onecht.' Ik gebruik de woorden 'not honest' – dat heb ik eerder iemand horen zeggen en dat klinkt mooi. 'Het lijkt net dat ene liedje dat die zangeres van Sofía moest zingen op va-kantie. *Everybody's talking at me…*'

Tony gaapt.

'*Can't hear a word they're saying. Only the echoes of my mind,*' zeg ik snel. Toen die zangeres dat zong op het eiland was het heel ont-roerend. 'En mijn beste vriendin op school zei laatst dat ze ver-liefd op me was,' gooi ik mijn laatste troef op tafel.

'So?' vraagt Tony.

Ik staar hem glazig aan.

'Vond je dat leuk?'

'Ja, nee, ik weet het niet. Zoenen met meisjes heb ik al wel een keer gedaan. Dat is een soort spelletje. Maar verliefd is toch leuker op een jongen.'

Ik praat en zweet en loop rondjes. Dit gaat helemaal niet goed. Is mijn verhaal nou echt zo oninteressant? Tony moet toverwoor-den zeggen, zoals jij ook altijd doet. Waardoor iedereen moet huilen of lachen en mij daarna gaat omhelzen. Maar Tony zegt niks. Niemand zegt iets.

Ik loop en loop en ik zie de minuten wegtikken op de grote klok aan de muur. Sta ik hier nu echt al meer dan uur? Helemaal huilerig word ik ervan, maar zelfs dat werkt niet. Nu word ik boos en ik stamp een beetje op de grond. Help me dan, wat moet ik doen?

Sabina is intussen dropjes aan het uitdelen, allemaal mensen proberen haar aandacht te trekken.

Het gebeurt als ik er het minst op bedacht ben.

Tony moet zijn opgestaan toen ik met mijn rug naar hem toe stond. Ik jammer nog steeds zo'n beetje.

Plotseling vlieg ik naar voren van een keiharde schop tegen mijn kont. Ik val voorover op de grond en mijn duim knakt dubbel.

Ik kijk om en daar staat Tony. Hij is enorm en gespierd en hij kijkt grimmig.

'Wat...?' prevel ik.

'Get your ass together,' zegt hij. En dan loopt hij gewoon terug naar zijn stoel alsof er niks gebeurd is. Alsof hij net even een raampje heeft dichtgeklapt.

Ik voel me zo mislukt.

Zelfs van die schop moet ik niet heel dramatisch huilen, ik schaam me alleen maar dood. En als ik opgekrabbeld ben, moet ik van Tony tegen iedereen een voor een sorry zeggen omdat ik zoveel van hun tijd verspild heb. Tegen elke jongen en elk meisje moet ik iets liefs en persoonlijks zeggen.

Met een trillende stem begin ik. Maar als ik bij Sabina kom, die ergens halverwege zit, en zeg dat ik haar zo mooi vind, begint zij heel hard te huilen en dan komt er een of ander naar incestverhaal dat natuurlijk meteen alle aandacht trekt.

Zachtjes ga ik zitten. Ik schaam me nog steeds. En mijn duim doet pijn.

'En? Heb je goed meegedaan?' vraagt papa als ik die avond thuis-kom. Dat vraagt hij altijd, met zo'n verwachtingsvolle stem.

'Ja hoor,' zeg ik.

Als mama mij later nog even een nachtkus komt geven, fluister ik dat ik zeker heb meegedaan. Dat ik ben opgestaan en van alles heb verteld. 'Het was alleen niet echt fijn, mama. Het viel nogal tegen, eigenlijk.'

Mijn moeder aait me over mijn hoofd en kijkt bezorgd.

Ik ga haar en papa natuurlijk niet vertellen wat er echt gebeurd is. Ze zouden het niet begrijpen.

Maar vanaf nu ben ik allergisch voor schoppen. Mijn broertje mag me slaan, mijn vriendin mag me knijpen, jongens mogen aan mijn haar trekken als het echt moet. Alleen wie mij schopt, ook al is het voor de grap, die ram ik helemaal in elkaar.

Toch heb ik niet minder zin om naar de Club te gaan.

School is altijd nog erger.

Eigenlijk is dat een soort concentratiekamp. We kijken film-pjes van de oorlog bij maatschappijleer en je ziet al die mensen keurig in lange rijen naar binnen gaan om zinloos werk te doen. Waarom doen ze dat op school ook, zonder enig protest, waar slaat het op?

Bij de Club hoef je tenminste niet urenlang huiswerk te maken, elke dag opnieuw. Daar kun je dánsen, niet zo'n beetje saai heen en weer wiegen zoals ze doen op schoolfeestjes. Bij de Club kun je lachen zonder dat je meteen uitgelachen wordt. Je kunt er de hele dag door nieuwe dingen ontdekken. En er wordt écht gepraat over échte problemen.

Papa en mama hebben het maar makkelijk. De mensen van de vakantie zijn ook hun collega's in Casa Nostra. Zij hoeven nooit afscheid te nemen. Zelfs de vrienden die ze vroeger hadden verplaatsen hun werk een voor een naar Casa Nostra. En als ze daar geen zin in hebben, verdwijnen ze langzaam uit beeld.

Dat snap ik best. Het is ook ingewikkeld om twee vriendengroepen te hebben. Bij Casa Nostra heb ik Sabina en Josien – en May als de Amerikanen overkomen. En Luca en Tony en natuurlijk jouzelf.

Mijn vrienden op school steken daar maar slapjes bij af.

Af en toe vertel ik iets over de Club, vooral aan Isa, die altijd naast me zit in de klas. Ik neem haar zelfs een paar keer mee naar Casa Nostra.

Een keer gaan we naar een theaterdag van mijn vader. De toneelclub is heel groot geworden en de voorstellingen zijn best beroemd in Amsterdam. Isa wil later misschien naar de toneelschool, dus ze mag mee naar een improvisatiedag. Dat is altijd heel druk en leuk.

Bij de eerste oefening moeten we heel hard schreeuwen. 'Loop rond en gil zo hard je kunt,' zegt papa. 'Van woede, van blijdschap, dat maakt me niet uit. Zo vaak mogen we niet vrijuit schreeuwen.'

Ik loop al een tijdje vrolijk te gillen, als ik Isa in een hoekje zie staan. Ze heeft haar handen voor haar oren geslagen en kijkt alsof ze elk moment gaat huilen.

'Ik kan gewoon niet tegen al die herrie,' zegt ze later.

Maar dan hoort ze de stilte die papa daarna laat komen ook veel minder goed.

Ondertussen droom ik het hele jaar van de vakantie. En als we eindelijk weer gaan, is het nog geweldiger dan de vorige keer. En moet ik nog langer huilen als we teruggaan.

In de herfst van het jaar daarna neem ik Isa mee naar een groot jarenvijftigfeest in Casa Nostra.

Vroeger trok ik altijd alles aan waar mijn moeder mee aan kwam zetten als er weer een of ander feest was, maar door Isa weet ik dat het beter kan. Professioneler. Zij en haar moeder kennen allemaal fijne winkeltjes in Amsterdam waar je vintage jurken en accessoires kunt kopen. En ze weten wat mij staat, dat ik het accent moet leggen op mijn schouders en zeker niet op mijn buik. Zelfs mijn haar – dat inmiddels tot op mijn billen komt – kunnen ze perfect invlechten. Het is logisch dat Isa zelf ook mee gaat naar het feest.

In Casa Nostra zit sinds kort een dansschool. Ze doen dingen als streetdance, maar ook ballroom. Speciaal voor dit feest ben ik daar een paar keer naartoe gegaan met mijn vader. 'Het hoort een beetje bij je opvoeding,' zegt hij.

Nu ken ik twee soorten walsen en de chachacha, als ik tenminste een goede danspartner heb die me strak kan leiden.

'Eindelijk ga je Luca zien,' zeg ik tegen Isa als we in de spiegel naar elkaars jurken staan te kijken. Zal ze snappen hoe leuk hij is? Ze heeft natuurlijk al wel foto's gezien en ik heb vaak genoeg over hem verteld. Misschien wel een beetje té vaak. Straks valt hij haar heel erg tegen.

Mijn baljurk is zalmroze en die van Isa lichtblauw. Ik voel me mooi en volwassen. Mijn half ingevlochten haar zwiert en glanst. Dat is een gelukje: met een bad hair day was het toch minder leuk geweest.

Ik zie Isa's ogen wijd opengaan als we de zaal binnenkomen. Het orkestje, de sierlijke bankjes met zachtleren zittingen, de schalen met prachtig eten, zelfs de gouden sigarettenpijpjes in de vingers van de vrouwen: alles klopt. We spelen de jaren vijftig van de vorige eeuw niet na, we zíjn de jaren vijftig.

En jij bent er!

Nog nooit heb ik je zo mooi gezien. Je hebt een kort rood jurkje aan met lange handschoenen tot over je elleboog en een grote rode veer in je haar. Er zijn twee lange donkere mannen van de dansschool bij je, die om beurten de tango met je dansen. Je laat je soepel door hen ronddraaien en achterover kantelen, de stilettohakken hoog in de lucht. Ik wist niet dat je dat kon. Is er iets wat je niet kunt?

Dan komt er een wals en het is een sneeuwbaldans. Eerst jij en je partner, John, dan mogen jullie allebei een nieuwe partner kiezen. Jij kiest mijn vader en mijn vader kiest mij. We walsen netjes zoals we dat geleerd hebben, één-twee-drie, één-twee-drie. Ondertussen zoeken mijn ogen koortsachtig rond.

Daar! Een donkere jongen in een pak.

Op het teken van de ceremoniemeester laat ik mijn vader los en ren naar Luca toe. 'Dansen?'

Hij kijkt eerst verbaasd, dan grijnst hij naar zijn vrienden en stapt naar voren.

Hij legt zijn ene arm losjes om mijn middel. In plaats van mijn hand te pakken, stopt hij de zijne in zijn zak. Dat ziet er heel cool uit.

Het gebeurt! Dit moment is echt en nu. Ik dans met Luca een golvende jurkendans waar vertraagde kusmuziek bij hoort. Mijn eerste bal en mijn eerste liefde.

Ja, ik heb ook wel eens iets met een jongen van school. Maar Luca is en blijft de liefde van mijn leven. Zelfs al ziet hij er vandaag een beetje uit als een verkleed meneertje met zijn net iets te gladde pak.

En zelfs al kijkt hij de hele tijd over mijn schouder in het rond en praat hij steeds met zijn vriend die nu ook op de dansvloer is. Die met Isa danst, zie ik nu.

'Changez,' roept de ceremoniemeester en nu laat Luca mij los en grijpt Isa, wat eigenlijk niet de bedoeling is bij een sneeuwbaldans. Hij moet een meisje vragen dat nog niet op de dansvloer is.

Maar dan is het inmiddels te druk en word ik met een buiginkje gevraagd door een collega van mijn vader.

Later zijn er nog wedstrijden voor wie het best gekleed is. 'Alle heren die geen schone, witte zakdoek bij zich hebben vallen af. Alle dames zonder tasje ook.'

Mijn vader blijft als een van de laatsten over. Hij verliest op de valreep van Tony, omdat hij een stropdas heeft in plaats van een strikje.

'Wat een onzin,' moppert mijn vader. 'Alsof een stropdas minder goed is. Beter juist.' Hij heeft echt de pest in en om hem te troosten dans ik nog een keer met hem.

Dan ben ik Isa kwijt.

Luca ook, trouwens.

Ik vind Isa uiteindelijk bij de wc's met Sabina. En daar zijn ook Luca en zijn vrienden.

Isa trekt net haar jas uit, haar wangen zijn rood.

'Wat doe je hier? Wat doen jullie hier samen?'

'Gewoon, wachten tot de wc vrij is,' zegt Isa.

'Ben je naar buiten geweest?'

'Alleen even met de rokers mee.'

Met welke rokers? Ik slik de vraag net op tijd in.

Maar er is iets tussen haar en Luca, ik ben niet gek. Ik zie hem wel gluren en Isa zelf praat veel te overdreven.

De volgende dag vraagt Isa zijn telefoonnummer. 'Toch leuk om een vriend in Amerika te hebben? Jij zou dat juist moeten begrijpen.'

'Ik heb zijn nummer zelf niet eens. En waarom zou hij geïnteresseerd zijn in jou? Alleen omdat je blond bent.'

Isa zegt niks.

'Hij was mĳn stiekeme liefde, trouwens.'

'Daar kom ik toch ook helemaal niet tussen?' zegt Isa.

Dat slaat natuurlijk nergens op, maar ik kan het niet bewijzen.

En dat is dus precies het hypocriete van het leven buiten Casa Nostra waar ik steeds minder goed tegen kan.

Ik neem Isa nooit meer mee.

Zonder problemen ga ik dat jaar over naar de derde klas. En ondertussen leid ik mijn dubbelleven. Met stoere weekends in Amsterdam en weer een vakantie op het eiland. Al in het vliegtuig terug begint steeds weer het grote verlangen naar het jaar daarop.

Hier wil ik later wonen.

Deze stad is gemaakt om bijzonder in te zijn. Natuurlijk omdat het een levende tv-serie is. Met de taxi's en de zwervers en de koffiewinkels en de pakhuizen en de sirenes en de stretched limo's en dat Times Square gewoon echt bestaat met al die shows en dat je steeds omhoog kijkt en dan ook nog de zee eromheen als een megabonus. Ik adem de geur van verbrande kastanjes en metro en ik voel New York in me bruisen en gisten en ik wil dansen en gillen en roepen: 'Kijk mij! Ik ben in New York! Veertien en in New York. Vrij!'

En dat het jouw stad is – ik zie meteen dat hij je past als een hip leren jasje.

Koud is het ook in New York, ijskoud. Adem in wolkjes en rode, stramme vingers. Alle hoge ramen van Casa Nostra zijn beslagen. De echte Casa Nostra dus, Amerikaanse editie. Niet eens zoveel groter dan in Amsterdam, maar wel zoveel spannender. Met ateliers die hoog en donker zijn en vol graffiti, spectaculaire kledingwinkeltjes, een crèche vol kunstwerken en een manicuresalon naast de holistische massage.

Ik dacht altijd dat jij in Casa Nostra woonde, maar jouw huis is één metrohalte verderop. Het penthouse van Casa Nostra is je werkruimte. Hier vergader je wekelijks met de staff en houd je privégesprekken met mensen die het geluk hebben om door jou persoonlijk gezien te mogen worden.

Wél net als in Amsterdam is het gastenvertrek met overal bedden en twee badkamers. Daar slaap ik met Sabina en nog vijftien anderen van de Nederlandse Club die hier zijn gekomen om oud en nieuw te vieren.

Mijn ouders hebben me trots en stralend uitgezwaaid, stikja-loers natuurlijk. Maar zij zijn in het najaar al geweest voor een of ander staff-feest.

'Welk meisje van jouw leeftijd maakt dat nou mee? Oud en nieuw vieren in New York,' zei mijn vader twee keer achter elkaar.

'Ik zal je wel missen, hoor,' zei mijn moeder.

Nou, ik haar oliebollen niet – aan het eind van de avond heb ik daarvan altijd zo'n plofbuik. Of het ganzenborden bij de tv: nee, bedankt.

'Volgend jaar ben ik er gewoon weer bij,' troostte ik. Ik keek niet om bij de douane.

En nu ben ik hier, o, wat ben ik hier. Kan ik niet in deze Casa Nostra komen wonen?

De hele dag hangt er al een tintelende spanning voor het feest van vannacht. De grote zaal wordt van boven tot onder behangen met rode en gouden lappen en slingers en strengen gekleurde lichtjes. Vanuit de grote keuken komen heerlijke geuren en de ta-fels voor het buffet staan al hoopvol te wachten. Samen met Sabina en Elke, een stoer meisje dat eruitziet als een jongen en dat nog niet zo lang bij de Club zit, mag ik helpen met het maken van een taart van allemaal kleverige honingballetjes. Dat hoort zo in Italië en nu ook hier; Casa Nostra is niet alleen New York, het is vandaag ook een mini-Italië.

Ik kan bijna niet wachten tot May komt. Ze is gewoon op school vandaag, maar vanavond komt ze ook hier slapen. Net als Luca – wat nog spannender is. Ik heb hem sinds de laatste vakan-tie niet gezien. Hij is bijna zestien nu. Zal hij me eindelijk zien als een serieuze kandidaat voor zijn avontuurtjes? Ik heb geoe-fend met zoenen op schoolfeestjes, en steeds aan hem gedacht.

Het is een beetje jammer dat we het warme, fonkelende hol van Casa Nostra verlaten, maar we moeten naar Times Square voordat de hekken op slot gaan. Times Square is hét plein waar je moet zijn om middernacht.

May komt op het laatste moment aanrennen, samen met nog wat andere kinderen van haar school. 'Alicia, schat, ik heb je zoveel te vertellen.' Ze praat een beetje met een maniertje – ineens zie ik dat ze op haar moeder gaat lijken. Maar als ze lacht zie ik die twee kuiltjes in haar wangen en het is gewoon mijn lieve May.

Ik kijk langs haar heen naar Luca, die er heel Amerikaans uitziet vandaag. Of nee, Amerikaans is niet het goede woord: hij ziet eruit als de ultieme Italiaanse jongen in New York. Zo'n achterbuurtjongen met een afzakbroek en enorme gympen. Eentje die knappe meisjes in smoezelige steegjes tussen de vuilnisbakken tegen de muur zet en ze dan keihard begint te zoenen.

Wil ik dat?

Ja, dat wil ik.

Vanavond klopt alles. Tijdens de invallende schemering op Times Square staan tussen miljoenen mensen, zoete warme wijn drinken die May voor me koopt en stomme liedjes zingen om de tijd te doden.

Ik zorg dat ik in de buurt sta van Luca. Als het twaalf uur wordt, ga ik hem omhelzen, hoe dan ook. Het kan me niks schelen dat hij nu gaat met de jongere zus van Gina, zoals May zegt. Luca gaat toch altijd met iedereen. Het is eigenlijk idioot dat ik daar nog niet bij hoor.

Dan, eindelijk, zie ik jou ook, met een groepje mensen van de staff.

Ik geloof dat May net iets tegen me aan het zeggen is, maar ik luister niet langer. Ik ren naar jou toe. Je hebt een witte bontjas aan die ik normaal vast stom zou vinden, maar jij wordt er de sneeuwkoningin zelf in. Even blijf ik verlegen voor je staan, dan kruip ik weg in de jas. Die is heel zacht en heel koud tegelijk.

Je pakt me bij mijn schouders en zegt lief: 'Wat geweldig dat je er bent. Je eerste keer in New York. Hoe is het met je vader?'

'Goed, en ja, geweldig. Wat is Casa Nostra mooi, ik hou er nu al van.' Ik wilde dat ik een interessantere tekst had. Maar jij lacht en zegt welkom tegen me.

Dan komt er iemand naar je toe met koffie in een papieren bekertje en het moment is voorbij. Ik loop weer terug naar May en zie Luca naar me glimlachen. Deze avond kan niet meer stuk, kou of geen kou.

Tegen de tijd dat het vijf voor twaalf is, ben ik half bevroren. Dankzij de warme mensenmassa om me heen val ik nog net niet dood neer. Zelfs praten doet pijn, ik moet al mijn energie sparen en vooral zo min mogelijk ijslucht inademen. Waarom heb ik mijn ski-jack niet meegenomen? Deze rode jas is chiquer, maar ook veel minder warm.

TIEN, NEGEN, ACHT...

Er zakt een gigantische bal ter grootte van een ufo naar beneden.

... ZEVEN, ZES, VIJF...

Ik kijk opzij naar Luca. Naast hem zie ik jou. Een vreemde man begint je te zoenen.

... VIER, DRIE, TWEE...

Luca springt op, uit de lucht begint confetti te stromen.

... HAPPY NEW YEAR!

Overal licht, confetti in mijn haar, mijn mond, mijn ogen, vuurwerk, gegil, gejuich. Een groots en wonderbaarlijk jaar is aangebroken.

May komt op me af maar ik ren juist weg naar Luca, die op zijn beurt naar zijn moeder rent.

Het is alsof iedereen nu tegelijk gaat lopen. Alsof we allemaal samen een groot bewegend beest zijn dat plotseling wakker is geworden uit zijn winterslaap. Wat net nog mooi en veilig voelde, ontploft in een orkaan van geluiden en beweging. Ik kan geen kant op – of in ieder geval niet de kant die ik wil. Alles in mij zet zich schrap om nu niet verpletterd te worden.

'May!' gil ik. Ik zie haar niet meer. En jou ook niet, hoe hard ik ook roep: 'Sofía! Sofía! Help me!'

Ik val, krabbel op, laat me door ruggen en armen en jassen duwen naar een plek waar hopelijk lucht is. Ik begin te hoesten van de confetti in mijn keel en de rookdampen van het vuurwerk.

'Sofía! Papa!' Papa?

Eindelijk, een zijstraat, ik schiet erin en begin te rennen zoals ik nog nooit gerend heb. Twee keer val ik en sta weer op. Zit iemand me achterna? Ik ben in New York in het midden van de nacht – zo meteen word ik verkracht. Beroofd. In stukken gehakt en in een container gestopt. Flitst daar een mes?

Hoe bang ik ook ben, na een tijdje moet ik toch stoppen. Mijn benen trillen te hard, mijn ademhaling scheurt mijn keel aan flarden. Nog even en ik val sowieso dood neer.

Er zit niemand achter me aan. Dat is een enorme opluchting. Ik sta in mijn eentje in een of andere steeg. Verdwaald, dat wel.

De huizen om me heen lijken geen deuren te hebben. Verderop is een feestje aan de gang, ik hoor muziek. Maar iets zegt me dat ik niet daarheen moet voor hulp.

Ik begin weer te lopen. Pak ondertussen mijn telefoon en sms May dat ik haar kwijt ben. Alsof ze dat zelf niet al heeft gemerkt.

Het duurt zeker tien minuten voor er een antwoord komt. Een geschrokken smiley en de tekst: 'Wij zijn al op weg naar CN. Pak snel een taxi.'

In mijn gedachten waren ze allemaal koortsachtig naar mij aan het zoeken en nu merk ik pas dat ik huil.

Wacht maar, straks krijgt ze wel spijt, die May. Als ze mij morgen dood vinden. Dood en alleen in New York. En wat zullen mijn ouders daar wel van zeggen?

Ik ben even heel blij dat die twee lekker rustig thuiszitten. Daar is het nog gewoon etenstijd, zes of zeven uur eerder. Meestal hebben we erwtensoep met oud en nieuw. Erwtensoep en oliebollen – wat klinkt dat ver weg.

Dan verschijnt aan het einde van de straat zomaar een lege taxi. En de taxichauffeur spreekt ook nog Nederlands. Hij komt uit

Leiden en is twintig jaar geleden naar New York gekomen om filmster te worden. Als ik bijgelovig was, zou ik denken dat mijn vader hem persoonlijk heeft gestuurd om me veilig terug te brengen.

'Casa Nostra in Nolita?' Hij kent jouw plek zelfs. 'Gekke tent, altijd feestjes. Wat doe jij daar?'

'Nou, naar een feestje dus.'

'En je ouders wachten daar op je?'

'Nee, die zijn nog in Nederland.'

De taxichauffeur bestudeert me via de autospiegel. 'Hoe oud ben jij?'

'Vijf... veertien.'

'En ze laten jou helemaal in je eentje met oud en nieuw naar New York gaan?'

'Niet alleen, we waren met een hele groep. De oudste is al achttien.'

'Helemaal in je eentje?' herhaalt hij nog eens, op een boze toon. 'Het moet niet gekker worden.'

'Ik wilde het zelf,' zeg ik snel, 'ik vind het leuk.'

'Daar gaat het niet om. Je bent veertien, je hoort gewoon nog thuis te zijn met oud en nieuw.'

Zwijgend rijden we verder. Hij begrijpt er niks van, denk ik. Maar waarom moet ik dan nog steeds bijna huilen?

FELICE ANNO NUOVO staat er met felverlichte letters op de gevel. De muziek hoor je al van verre en binnen is het feest in volle gang. De tafels met eten zijn al behoorlijk geplunderd, de bassen dreunen in mijn buik. Overal wordt gedanst en hangen mensen tegen elkaar aan.

Ik vind May met bijna iedereen van de Club op de dansvloer. Ze rent op me af en zoent al haar roze lippenstift op me. Er zitten glitterserpentines in haar haar.

Luca zit op een stoel aan de zijkant iets te eten.

'Ik ga Luca vragen om te dansen,' schreeuw ik tegen May.

'Moet je doen,' schreeuwt ze terug met koortsige ogen.

Voorzichtig begin ik naar de zijkant te dansen. Ik zie dat Tony naar Luca toe komt. Het lijkt alsof hij hem wil meenemen naar achteren.

'Wacht, Luca!'

Ik ren naar voren en ruk aan zijn arm.

Verbaasd en een beetje geschrokken kijkt Luca op.

'You must dance with me,' gil ik hysterisch.

Luca kijkt naar Tony, die naar hem grinnikt. Dan haalt hij zijn schouders op en loopt met me mee.

Ik dans met Luca!

Mooier kon dit nieuwe jaar niet beginnen, zelfs al kijkt Luca steeds langs mij heen, zoals altijd. Eén keer zie ik hem knipogen naar May.

De hele tijd komen er meisjes in sexy konijnenpakjes voorbij met glazen spumante. Bij Casa Nostra houden ze niet van feesten waar weinig drank is en al helemaal niet van consumptiebonnen of munten die je moet kopen. Jij vindt dat niet gastvrij, heb ik je wel eens horen zeggen. Maar daardoor zijn de toegangskaarten voor de feesten wel altijd heel duur. Sommige Nederlandse leden van de Youth Club hebben extra bijbaantjes moeten nemen. Gelukkig betaalt mijn vader de feesten altijd voor mij – en ik ga zorgen dat hij zijn geld vandaag goed heeft besteed.

Dansend drinken. En later zittend in de grote kussens die overal in de hoeken opgestapeld liggen. Luca is dan allang weer weg.

Ik praat heel lang met Niek, de broer van de stoere Elke. Niek is heel mooi, met lang haar tot op zijn schouders en een gezicht als een Griekse god. Ze zeggen dat hij een junk was vroeger, dat jij en Tony hem van de heroïne af hebben gekregen, samen met de mannen van de staff. Sindsdien zit hij bij de Club. Hij is een jaar of achttien, denk ik.

Waar hebben we het allemaal over? Over Luca, dat in ieder

geval. De woorden stromen als de spumante, waarvan ik inmiddels toch zeker vijf glazen op heb. Als het er geen zes zijn. Niek heeft een eigen fles en glazen zijn niet meer nodig.

Om ons heen gebeuren chaotische dingen. May is in slaap gevallen op een berg kussens en ziet eruit als een klein meisje met nog steeds felrode wangen. Luca heb ik net in de gang bij de wc's gezien met de zus van Gina.

'Ze stonden tegen een muur aan te neuken,' zeg ik tegen Niek, op een best wel rustige toon.

'Echt waar?' vraagt hij geamuseerd.

'Ja, zo leek het tenminste. Het is daar te donker om echt goed te kunnen kijken. Kun je nagaan, onder de ogen van zijn moeder.'

Jij danst nog steeds, maar ook dat begint steeds meer op vrijen te lijken. John heeft zijn handen onder je jurk, en er is een andere man intiem dichtbij, een vriend van Tony. Veel te jong voor jou, dat meen je toch niet serieus?

'Zullen wij ook gaan zoenen?' vraag ik aan Niek.

Ik weet niet hoe het gebeurd is dat ik op zijn schoot zit, maar knuffelen met een ex-junk vind ik ineens het spannendste wat er bestaat.

'Dat lijkt me geen goed plan. Hoe oud ben je eigenlijk?' Niek maakt zich voorzichtig van me los.

'Vijftien. Oké, veertien.'

'Ik eenentwintig.'

'Nou en?'

Niek glimlacht, zijn gezicht is heel dichtbij. 'Ik vind je best leuk, Alicia, maar laten we dit gesprek een keer overdoen over een jaartje of drie, goed?'

Beledigd spring ik op. 'Dan niet.'

Terwijl ik me een weg baan naar de wc (niet dat ik moet maar het is altijd goed om ergens heen te gaan, een duidelijk doel te hebben) zegt iemand in het Nederlands 'gelukkig nieuwjaar' tegen me.

'Een beetje laat, hè?'

'Helemaal niet. In Nederland is het nu twaalf uur.'

Papa! Mama! Het gaat door me heen als een bliksemflits. Ik moet ze bellen, nu. Ze zitten me natuurlijk hartstikke te missen met hun glaasje champagne. Te wachten tot ik bel, te hopen dat ik bel.

Ik graai naar mijn telefoon. Geen bereik.

Ik loop de gang op, nog steeds geen bereik. De trap op naar de slaapkamers. Overal liggen mensen: op de trappen, in de gangen. Sommigen slapen, anderen vrijen. Dat denk ik tenminste – het is overal stikdonker en ik ben helemaal raar van vermoeidheid. Als een slaapwandelaar kruip en stommel ik naar boven. Af en toe roept iemand au.

Eindelijk, mijn bed. Daar verderop slaapt Sabina en Elke ligt half in mijn bed. Ze lijkt op haar broer als ze haar ogen dicht heeft.

Wat is het hier heerlijk oorverdovend stil.

Als ik eindelijk bereik heb, duurt het nog een eeuw voor ik erdoorheen kom. Kennelijk zijn de lijnen naar Europa overbelast.

Dan hoor ik ineens de lieve, zachte stem van mijn moeder. 'Alicia!'

'Gelukkig nieuwjaar, mama!' Ik snik het bijna uit.

'Wat?' ruist mijn moeder. 'Ben jij dat? Alicia?'

'Ja, mam, hoor je me? Gelukkig nieuwjaar!'

'Gelukkig nieuwjaar, lieverd. De verbinding is erg slecht. Heb je een heerlijke tijd?'

'Ja, heerlijk. Heel heerlijk. Is Tinka ook nog op? En mag ik papa nog even?'

'Wat zeg je? Ja hoor, iedereen is op. We hebben net zulk prachtig vuurwerk gezien. O, wacht… Hallo! … Wacht, even, Alicia. De buren komen binnen.'

'Ga dan maar naar de buren toe.'

'Wat?'

'Is goed, mama, tot snel. Gelukkig nieuwjaar!'

'Dag stoere oudste dochter, geniet!'

Ik duw Elke opzij en plof in mijn bed, uitgeput. Door de ramen komt het eerste daglicht al naar binnen. Buiten gillen de sirenes.

Als iemand me toen had gezegd dat het nog ruim een jaar zou duren voor het er echt van zou komen met mij en Luca, was ik gek geworden.

Een jaar!

Gelukkig gebeurt er veel op school. Er is een groot protest tegen de bezuinigen en met een groepje organiseer ik acties. Het bevalt me wel. Ik verf de onderste punten van mijn haar zwart.

Ik word ook technicus van de schoolband. Het staat stoer om met kabels te lopen sjouwen en met een koptelefoon op achter de mixtafel te zitten. Kan ik lekker de hele tijd kijken naar de zanger van de band: een lange jongen met zwart geverfd haar en altijd wapperende jassen. 'Een beetje meer bass op de monitor, schat.'

Maar nog steeds zijn de schoolfeesten kinderspel vergeleken bij het uitgaan met de Club.

Vandaag al helemaal. Er draait een nieuwe deejay in de tot discotheek verbouwde loods bij de haven, een gast uit Amerika. Tony heeft voor ons allemaal kaartjes kunnen regelen.

Ik ben extra zenuwachtig, want Luca is meegekomen. Voor die deejay. Een avond uit met Luca en daarna allemaal in Casa Nostra slapen.

Als we eindelijk binnen zijn, is iedereen al totaal opgefokt voordat er ook maar één biertje aan te pas is gekomen. Ik heb een doorschijnend bloesje en glitterspray geleend van Sabina en niemand ziet dat ik nog maar vijftien ben.

De deejay is echt heel goed en we beginnen meteen te dansen. Ik met Josien, met Elke, met een jongen die Robbert heet. Op een gegeven moment sta ik in het midden als een schitterende godin en draaien ze allemaal om me heen.

Ik heb dan al wel een pilletje op. Niet dat ik nou zo'n drugs-gebruiker ben, maar we krijgen het van Tony en iedereen neemt het. Ik word er op een roezige manier heel vrolijk van.

Innig gearmd en zingend lopen we later over de straten van Amsterdam naar Casa Nostra. Ik zoek Luca, maar die loopt naast Sabina. Zelfs dat vind ik nu niet erg. Ik loop ontzettend te lachen met Tony en dat is toch de groepsleider – en jouw zoon!

Aan mijn andere kant loopt die Robbert, die me steeds probeert te zoenen. Dat vind ik vooral grappig.

Ik weet niet precies hoe we in Casa Nostra terug zijn gekomen of hoe laat het eigenlijk is. De pil werkt nog steeds, ik ben een en al vloeibare liefde. Precies wat ze altijd zeggen. Tony haalt zijn deejayset tevoorschijn en ik help hem met aansluiten – iedereen diep onder de indruk natuurlijk.

Eigenlijk is de afterparty nog beter dan het echte feest. Ik kan zo goed dansen vandaag! Met en zonder kleren – want nu zijn mijn borsten bloot. En dat vind ik helemaal niet erg. Het is laat, het is donker, niemand zit ermee.

Ik geloof dat Robbert mijn blouse heeft open geknoopt, want hij hangt de hele tijd om me heen en geeft alsmaar kusjes in mijn nek. Ik duw hem weg.

Het volgende moment loop ik door de donkere gang op zoek naar Luca. Ineens sta ik voor de wc's. De deur is open, er zit iemand op. In een ander hokje ligt iemand te slapen, zijn hoofd boven op de bril en haren die in de wc-pot hangen.

'Waar is Luca?' roep ik voor wie nog zin heeft om me te horen.

Dan sta ik bij de voordeur en doe die open.

Als een geest staat Tony daar en grijpt mijn arm. 'Waar ga jij naartoe?'

'Ik zoek, eh…' Ik stort me in zijn armen, maar hij duwt me weg. 'Ga slapen, Alicia, de zon komt al bijna op.'

'En jij?'

'Nog even… Een bar.' En weg is-ie.

'Ik weet wel wat jij gaat doen!' roep ik hem vrolijk achterna. Tony is nog steeds sexually hooked. Soms.

De buitenlucht is ijskoud. Ik doe de deur weer dicht en stommel de smalle trap op.

Misschien heeft Tony wel gelijk, moet ik gaan slapen. Het fijne golvende gevoel in mijn achterhoofd begint op koppijn te lijken en mijn voetstappen op de trap gaan zwaar.

'Wie is daar? O. Waar zijn je kleren?'

Die stem!

Dus daar was hij. Naast Sabina, die als een zoet kind ligt te slapen, staat mijn held, de liefde van mijn leven.

'Waar zijn je kleren?' zegt hij nog een keer en staart naar mijn borsten.

Ik ga meteen rechter staan en zet mijn handen in mijn zij. 'Vind je ze mooi?'

'Your hair is amazing.'

Ik zwiep mijn haren als een danseres naar achteren. 'Dat vroeg ik niet.'

Luca lacht. 'Het kan ermee door.'

'Nou zeg,' mompel ik verlegen, maar dan zegt hij iets waardoor alles een slag begint te draaien.

'Kom hier.'

En hij trekt me naar zich toe en begint me te zoenen. Niet zacht, niet lief, maar behoorlijk hard, met lange likken en draden van spuug.

'Wacht, rustig,' hijg ik buiten adem.

'Dit wilde je toch altijd al?' mompelt hij. Hij smaakt lekker naar sigaretten.

'Ja, maar…'

En dan gebeurt er iets waanzinnig romantisch: Luca tilt me op alsof ik een bruid ben en legt me op een bank die verderop staat. Daar begint hij me van top tot teen te bedekken met likjes en kussen. Ik hoor mezelf keihard giechelen.

Langzaam zweef ik een beetje uit mijn lichaam en kijk naar ons vanaf een afstandje. Eindelijk! Hoelang heb ik hier al niet aan gedacht, over gedroomd, naar verlangd?

Het is alleen toch jammer van dat pilletje – ik verlies steeds stukjes van de tijd. Terwijl ik dit alles juist seconde voor seconde wil vastleggen, opslaan. Smelten onder Luca's tong en zijn handen, die nu in één beweging mijn broek en onderbroek naar beneden trekken.

Het gaat te snel. Ik probeer het tegen Luca te zeggen, maar hij zoent mijn woorden steeds weg.

'Doe dan op zijn minst een beetje voorzichtig, ik heb nog nooit... Ik bedoel...'

Luca kijkt op. 'Is dit je eerste keer?' Zijn blik verandert, wordt zachter. 'Dat had ik nou nooit gedacht. Hoe je je kleedt, en zo. En hoe je er nu bij loopt.'

Hij schuift een stukje van me af. Terwijl ik helemaal bloot voor hem lig en hij nog steeds zijn gulp open heeft.

Ik strek mijn arm naar hem uit. 'Het is niet erg.'

'Dit moet je bewaren voor je vriendje.'

Ik krimp even in elkaar. Hoe duidelijk kan hij zijn?

Maar toch: dit is Luca, op wie ik al verliefd ben sinds mijn negende. Sofía's zoon – jouw zoon!

'Ik wil graag dat jij het doet.'

Hij staart me aan.

'Ik vertrouw je,' zeg ik – geen idee waar dat op slaat.

'Je bent high.'

'Niet meer. Niet zó dat ik niet weet dat ik dit wil.'

'Jesus, girl.'

'Alicia. Je zegt nooit mijn naam.'

'Jesus, Alicia,' zegt hij.

En dat is het sein. Ik wring mijn hand in zijn halfopen broek. Ik weet hoe dit moet. Bij de feesten van de schoolband gaat het er soms ook best heftig aan toe. Laatst zat ik nog met twee verschillende jongens onder een dekentje te rotzooien.

Luca maakt een zacht en kreunend geluid. Dan pakt hij mijn hand en legt die terug op mijn buik. Trekt zelf zijn broek uit.

Als een dokter die mij onderzoekt. Dat is een van de laatste duidelijke gedachten die ik heb.

De volgende dag ben ik dolblij met mijn hoofdpijn. Ik hoef niemand aan te kijken, kan stil in een hoekje zitten. Iedereen is brak, alleen Tony springt rond alsof hij nog volop aan de coke is.

Het bloedt. En het schrijnt.

Maar dat is niets vergeleken met het gevoel dat ik krijg als ik Luca met zijn hoofd in Sabina's schoot zie liggen. Eén kusje heb ik van hem gekregen, en een onderzoekende blik bij het espressoapparaat. Er is niks veranderd.

Tegelijkertijd is alles veranderd. Ik wil heel rustig nadenken over wat precies, en voor de eerste keer ben ik dolblij als het zondagavond is en ik naar huis mag.

Ik wil niks tegen papa en mama zeggen, maar de ellende is dat ze het natuurlijk meteen aan me zien. Wit, moe, stil…

'We zijn tot heel laat uit geweest,' zeg ik dan maar. Ik vertel over het dansen, de deejay.

'En was Tony daar al die tijd bij?' vraagt papa.

'Eerst wel, maar uiteindelijk ging hij nog ergens anders naartoe.'

'Dus jij hebt de hele nacht gefeest en er was niemand die een oogje in het zeil hield?'

'Zoiets, ja.'

'Hm,' zegt papa. 'Het is dat ik je vertrouw, maar ik vind dit toch niet helemaal correct van Tony. Je bent nog maar vijftien, je bent daar ver van huis.'

'Vijftien is oud genoeg.'

'Maar toch. Ik ga Tony een brief schrijven.'

'Wat voor brief?'

'Dat hij wel verantwoordelijk is voor mijn dochter.'

'Wees nou niet te streng,' zegt mama – gelukkig.

En dat is fijn, want ik heb al genoeg aan mijn hoofd. De morning-afterpil halen, om te beginnen. De herinneringen aan de nacht opslaan in de goede doosjes: het eerste-keer-doosje, het Luca-doosje en het o-wat-schaam-ik-me-toch-voor-mezelf-en-mijn-lichaam-doosje (dat staat ergens helemaal achteraan).

Maar papa schrijft de brief toch. Want de volgende maand vraagt Tony ernaar. 'Wist jij dat je vader mij een shitty brief heeft geschreven?'

'Nee,' zeg ik geschrokken.

Tony knikt en ik denk: weet hij ervan, van mij en Luca? Zou Luca het aan zijn broer hebben verteld?

En jij, Sofía, weet jij het? Dat jouw zoon van mij een vrouw heeft gemaakt? Dat maakt ons bijna een soort familie, toch, dat ik door hem ben ingewijd? Ik wilde dat ik het er nu met je over kon hebben. Over de liefde en alles. Dat je me een beetje kon zeggen hoe het moet. En of ik het goed doe.

Girl, you'll be a woman soon. Please, come take my hand. Dat is een van jouw lievelingsliedjes. Altijd als ik het hoor, voelt het alsof ik bijna ga huilen.

Het komt me eigenlijk wel goed uit dat mijn ouders weinig aandacht voor me hebben, de laatste tijd – ik heb veel meer vrijheid dan de meeste van mijn vriendinnen. Ik zorg wel dat ik daar geen misbruik van maak. Mijn vader weet dat ik niet in zeven sloten tegelijk loop.

Er is alleen die kwestie met die gejatte spullen. Ik ben er eigenlijk te oud voor, maar soms overvalt het me. Dan loop ik door een parfumwinkel, een boekwinkel of een sieradenwinkel en dan móét ik gewoon iets in mijn tas of in mijn zak laten glijden. Ik ben er goed in, het is zo verleidelijk. Maar vlak nadat dat met Luca is gebeurd, schrik ik 's nachts ineens wakker in een zee van spijt.

Mijn vader is op Casa Nostra blijven slapen omdat het erg laat werd, maar mama is nog wakker als ik beneden kom.

'Ik moet je iets vertellen.'

Mama klikt het geluid van de tv uit en luistert naar mijn verhaal.

'Ieder kind neemt wel eens iets mee wat niet van hem is,' zegt ze dan.

'Het is meer dan dat, mama… Het zijn eigenlijk best veel spullen.'

Ze kijkt verward. 'En waar zijn al die spullen dan?'

'In een grote doos achter in mijn klerenkast. Maar mama, ik wil er écht mee stoppen.' De tranen rollen over mijn wangen.

Mama schenkt wat thee voor me in uit de pot voor haar. Ze geeft me haar eigen mok. 'Ga nou eerst maar slapen, meisje. Het komt wel goed.'

Ik omhels haar.

Als ik de volgende dag thuiskom uit school doet ze heel gewoon, net als anders. Voor de zekerheid check ik de doos achter in mijn kast.

Leeg.

Ik begrijp er niks van. Is mama al die spullen gaan terugbrengen naar de winkels? Waarom zegt ze niks, komt dat nog? Het beste is denk ik om af te wachten totdat ze er zelf over begint.

Maar dat gebeurt niet. Wel vind ik een paar dagen later een van mijn gestolen boeken terug in de vuilniszak. Het is helemaal aan stukken gescheurd.

Steeds vaker moet ook mijn moeder nu naar Casa Nostra. Haar praktijk loopt redelijk en de toneelclub van mijn vader is zelfs heel groot. Af en toe zijn er voorstellingen waar we allemaal naartoe gaan. Soms zie ik jou daar ook.

'Ik ga daar weg,' zegt mijn vader op een dag, 'het wordt me te klein, ik herhaal mezelf. Ik wil voor mezelf beginnen en me meer richten op toneelcursussen voor het bedrijfsleven.'

'Mag dat wel van Sofía?' vraag ik.

Mijn vader kijkt op. 'Ik had het tegen je moeder, dame.'

'Maar…?'

'Natuurlijk mag dat van Sofía. Die vindt het juist leuk. En ikzelf ben ook wel toe aan wat anders.'

Hij bedoelt waarschijnlijk dat er nu een vrouw in de toneelclub zit die het voor iedereen verpest. 'Ongelooflijk, zoals zij er steeds in slaagt om anderen een slecht gevoel te geven. En zichzelf kwetsbaar opstellen, ho maar. Je zou haar man moeten zien, die heeft ze helemaal gemuilkorfd. Ik denk dat ik ze binnenkort maar eens een paar scènes uit Virginia Woolf laat spelen. Maar dan op de de Casa Nostra-manier.'

'Pas je een beetje op,' zegt mijn moeder, 'wie weet wat je losmaakt bij zo'n gefrustreerde vrouw.'

'Ik weet precies wat ik losmaak,' zegt mijn vader.

Hij moppert de laatste tijd vaker op trage types die niet echt begrijpen waar toneelspelen over gaat. 'Passie. Overgave. Lef.'

Dat zouden ook wel eens de kernwoorden van Casa Nostra kunnen zijn.

Als ik weer eens een weekend in Amsterdam ben geweest, valt het me meer en meer op hoe bangig de kinderen op school eigenlijk zijn. En de leraren ook. Alles draait nog steeds om die stomme cijfers en om het je zo veel mogelijk aanpassen aan het groepje waar je bij zit. En om de werkende wereld. We moeten profielen kiezen en plannen maken voor de toekomst. Veel kinderen willen naar de universiteit waaraan hun ouders ook studeerden en natuurlijk bij een studentenvereniging, want 'dat is goed voor je contacten'. Zo voorspelbaar.

Een paar zogenaamd avontuurlijke meisjes willen een talencursusje volgen in Zuid-Frankrijk of Salamanca.

'Is dat niet ook wat voor jou?' vraagt mijn moeder.

'Niet nóg meer school. Soms heb ik het gevoel dat ik daar stik van saaiheid,' zeg ik.

Mijn vader vertelt het door aan jou en je zegt via hem dat je me heel goed begrijpt. 'Maar je dochter maakt zich zorgen om niets, vertel haar dat maar. Saai en voorspelbaar wordt het voor haar nooit. Niet met zo'n vader. Niet met de Club en alles wat ze nu al heeft meegemaakt in onze vakanties. Dit meisje zal nooit een ordinary life hebben.'

Cß

Niet lang daarna is het mijn vijfde vakantie op het eiland. En mijn laatste, maar dat weet ik dan nog niet.

Het begint goed. Zelfs mijn vader heeft geen last van zijn begin-van-de-vakantie-humeur. 'Een spetterende show dit jaar, we gaan *Under Milk Wood* doen met lekker veel acteurs. Dat lijkt me een mooie voorbereiding op wat ik straks wil gaan doen met mijn cursussen in het bedrijfsleven.'

Vlak voor we vertrekken is de vervelende vrouw gelukkig weggelopen uit zijn toneelclubje. 'Een enorme opluchting, dat kan ik je vertellen,' zegt hij tegen mijn moeder. En: 'Opgeruimd staat netjes.'

Voor het eerst sinds al die jaren op het eiland ziet Luca mij staan. Hij komt af en toe bij me in de buurt en lacht dan zo'n beetje. En hij zegt mijn naam. 'Vraag maar aan Alicia' (als iemand de Engelse vertaling van een Nederlands woord zoekt). 'Alicia, je vader was op zoek naar je.' En zelfs: 'Alicia, heb je al gehoord dat er een casinofeest is, morgen?'

Elke keer weer voel ik een klein schokje als ik Luca mijn naam hoor zeggen. Ik vul in gedachten de hiaten in mijn herinneringen in: de gespierdheid van zijn billen, de lengte en dikte van zijn 'Freddy' (noemde hij hem nou echt zo?), de blik in zijn ogen toen hij klaarkwam.

Natuurlijk vertel ik May wat er is gebeurd – een zoete troost voor het feit dat hij nog steeds gaat met de zus van Gina (hoelang al? Een record!).

'Wow, Luca. Eindelijk is het je gelukt. Hoe was hij in bed?'

'Precies zoals je denkt. Geweldig.'

'Niet macho, hard en haastig?'

'Eh, ja, dat ook.'

Pas later denk ik: hoe weet ze dat?

Elke is er ook, maar niet haar broer, de ex-junk. Ze zeggen dat het weer mis is, dat hij toch weer is gaan gebruiken.

'Wat erg,' zeg ik. Ik weet nog goed hoe ik op Nieks schoot zat, die avond in New York, en hoe lief hij toen was. Toen leek hij zo sterk, hoe kan dit nou?

'Sommige mensen leren het nooit,' zegt mijn vader. 'Die maken zichzelf expres kapot.'

De moeder van Niek en Elke is er wel: een lange grauwe vrouw die iets vampierachtigs heeft. Eva heet ze.

Op een dag staat ze in het midden van het theater. Het is afschuwelijk om aan te horen hoe ze maar klaagt en zeurt over hoe zwaar het leven is. Alsof ze alles bij voorbaat al heeft opgegeven.

Jij probeert haar te confronteren met hoe erg het is als je zoon een junk is en je niet meer weet waar hij is en wat hij doet. 'Toen mijn eigen zoon on horse was, zag ik hem steeds in gedachten ergens voor me liggen met een overdosis. Ik ben nog nooit zo bang geweest als toen,' zeg je. We kijken allemaal even naar Tony. Hij stuurt zijn moeder een luchtkus.

'Jouw zoon is al heel lang clean, zoveel geluk heb ik niet,' zegt Eva bozig.

'Of hij,' zegt mijn vader.

Ik begrijp niet wat hij bedoelt, maar jij kijkt om en knikt. 'Precies, Eva. Luister naar de wijze woorden van Simon. Je bent nog steeds vooral met jezelf bezig.'

'Kan ik er wat aan doen,' zegt Nieks moeder.

'Denk dan op zijn minst aan je andere kind,' zeg jij en je wijst naar Elke, die op de eerste rij zit vandaag. 'Je hebt een prachtige dochter. Ze heeft je hard nodig.'

'Zij?' zegt Eva. 'Alsof ik daar iets over te zeggen heb. Die rookt als een ketter en komt nachtenlang niet thuis. Zet overal piercings en tattoos, laat haar oren uitrekken.'

'Ik zie vooral een heel gevoelig en dapper meisje,' zeg jij.

Van waar ik zit, kan ik Elke goed zien. Ze zit erbij alsof dit verhaal niet over haar gaat. Haar blik is stuurs, maar misschien betekent dat bij haar wel dat ze zich ongemakkelijk voelt. Haar haar is nog korter geknipt, ze lijkt een boos jongetje.

'Jij hebt makkelijk praten,' zegt haar moeder tegen jou.

'Is dat zo?' vraag jij. Je denkt even na en zegt dan: 'Geef haar dan maar aan mij.'

'Wat?' zegt Elkes moeder en ik denk zelf ook dat ik het verkeerd heb verstaan.

'Mag ik je dochter hebben?'

'Oké,' zegt Eva.

Even is alles doodstil.

Dan barst er een soort orkaan los. Misschien is mijn vader wel de eerste.

'O, Eva!' roept hij op een soort klagerige toon.

Onmiddellijk wordt zijn jammerklacht van alle kanten herhaald. 'O, Eva!' roepen ineens allemaal mensen. 'Ooooo, Eva.' Of: 'Neeee, Eva.'

Jijzelf hebt je handen voor je gezicht geslagen. Beatrice, de moeder van May, rent naar voren, naar Elke. Nog meer mensen springen op.

'Wat gebeurt er?' zeg ik tegen May. Het gejammer is nu overal. Iedereen staat op en loopt heen en weer, mensen snikken in elkaars armen.

'Ik weet het ook niet precies,' zegt May, 'kom, we gaan het aan Luca vragen.'

Braaf loop ik achter haar aan.

Luca staat tegen de muur aan naar het spektakel te kijken, samen met een groepje van de Club.

'Hebben we iets gemist?' vraagt May.

Ik probeer te kijken alsof ik het zelf beter begrijp, maar Luca kijkt toch nogal teleurgesteld naar ons allebei.

'Een moeder die haar kind weggeeft,' zegt hij. 'Hoe erg denk je dat dat is?'

O ja, denk ik. Heel erg. Het allerergste misschien wel.

En ja, daar is mijn eigen moeder ook al. Tranen in de rimpeltjes van haar ogen.

'Alicia, lieverd, ik wil je even goed vasthouden nu.'

Ik laat me braaf omhelzen, vooral als ik de vertederde blik in de ogen van Luca zie.

Luca in het casino.

Een van de zaaltjes is omgebouwd tot glinsterende gokruimte, met blackjacktafels en echte roulette. Alle mannen strak in pak, hun haren met gel naar achteren gekamd. Luca ziet er waanzinnig fout en daardoor supergeil uit als croupier.

Mijn vader heeft zijn kans gegrepen om me de regels van het gokken te leren. Hoe dat zit met die kaarten en het inzetten op zwart en rood. Maar ook: 'Altijd van tevoren een bedrag bedenken dat je bereid bent om te verliezen. En daar dan niet overheen gaan, onder geen beding. Meestal ben je dat bedrag aan het eind gewoon kwijt, maar dan heb je wel een leuke avond gehad.'

Hij geeft me vijftig euro om te vergokken, die ik omwissel voor fiches. Ik loop rond als een diva in de lange satijnen jurk die ik van Sabina heb geleend. 'Bellagio' is de naam van de avond, naar een beroemd casino in Amerika. Overal fonkelen kleine lampjes in de spiegels en er is zelfs een lichtgevende fontein in het midden van de zaal. Eén kamertje is pikdonker, dat is de pokerkamer. Helaas moet je achttien zijn om daar naar binnen te mogen.

'Kijk Sofía nou winnen,' zegt iemand. Het is jouw geluksdag, je zilveren tasje staat bol van de fiches. Je lacht steeds en maakt grappen met de mensen van de staff terwijl je champagnecocktails drinkt.

Ik heb mijn inzet ook al bijna verdubbeld. De roulette vind ik het leukst en het mooist: zo'n groot rad dat maar draait en draait met een stuiterend balletje erin.

En natuurlijk de snelle balletje-balletjehanden van Luca, zijn pikzwarte ogen die voortdurend rond de tafel flitsen en steeds net iets te lang aan mij blijven hangen. Hoe strak hij de fiches verdeelt, flirt met mooie vrouwen en tegelijkertijd ondoorgrondelijk blijft. Met zijn footballshirts is hij meestal zo'n all-American guy, maar vanavond is hij Italiaanser dan ooit.

Was dat nou echt een knipoog? Ik zet weer in.

'High bet,' zegt Luca.

Luca in de bergen.

Ze noemen het een fireball, misschien omdat het een feest rond een kampvuur is. Maar eerst moet je er nog komen, met een ingewikkeld soort grotemensenspeurtocht. Ik zit in een groepje met May en Elke. Het is geloof ik weer een beetje goed gekomen tussen Elke en haar moeder, ik zie ze in ieder geval de laatste tijd steeds samen praten.

Gina, de vriendin van Tony, is onze begeleidster. Ze heeft een wollige witte trui aan en ziet er schattig uit.

Hoe warm en zomers zo'n Italiaans eiland ook is, de bergen in de nacht zijn vooral koud en onprettig.

We hebben in een grot gezeten bij de caterpillar, een soort sterrenbeeldenspel gespeeld en onze diepste wens opgeschreven en in een oude waterput gegooid. Nu lopen we al minutenlang over een klein stenig paadje.

'Zijn we niet verdwaald?' vraagt May ineens. Haar adem komt als een wolkje mee.

'O, god,' zegt Gina. 'Heeft iemand onlangs nog zo'n rood pijltje gezien?'

We beginnen als verwarde kleuters heen en weer te lopen.

'Hier houdt het pad op.'

'Of moeten we soms klimmen?'

'Omhoog of omlaag? Of gewoon terug?'

'Wie wil er een peuk?' Dat is Elke. Ineens rookt iedereen, dus ik ook. Nog meer witte wolken.

Alleen Gina zegt: 'Eh… ik niet.'

'Sinds wanneer rook jij niet?' vraagt Sabina verbaasd.

'Sinds… sinds ik ben gestopt.'

Ze doet zo raar dat we haar nu allemaal aanstaren.

'Je bent toch niet zwanger?' vraagt Elke en we schieten allemaal in de lach.

Behalve Gina zelf.

De een na de ander stopt met lachen.

'Zeg dat het niet waar is,' zegt Sabina dan streng. Sinds zij een tijdje het vriendinnetje van Luca is geweest, beschouwt ze Gina als een soort zus.

Gina zucht heel diep. 'Ja, jongens, het is waar. Ik krijg een kind van Tony.'

'Dat is geweldig,' roep ik heel hard. Jouw eerste kleinkind, ik zie het helemaal voor me.

Gina glimlacht even. 'Ja, ik ben ook heel blij,' zegt ze zacht.

'Maar?'

'Maar Tony zelf weet het nog niet.'

Terwijl we nu allemaal staan te klappertanden van de kou en hard zuigen aan onze sigaretten, vertelt Gina met haar lieve stem dat ze bang is dat Tony zal schrikken.

'Maar jullie zijn al zo lang samen.'

'Ja, maar je kent Tony. Die heeft nu eenmaal veel ruimte nodig. Straks keert hij zich van me af. Niet dat er iets hoeft te veranderen, ik bedoel: ik zorg wel voor dat kind, ik regel alles. En Tony kan gewoon doorgaan met de Club leiden, naar Nederland gaan, zijn deejaywerk, alles.'

'Nou dan.'

'Ja, maar toch. Ik ben zo bang dat hij zich te veel geclaimd voelt.'

Een elegante traan rolt over Gina's wangen.

Sabina omhelst haar en dan wij allemaal. En we besluiten dat Gina het moet vertellen met iedereen erbij. Morgen, in het theater. Dan zullen wij van de Club haar steunen. En jij vast ook, want je bent dol op Gina. Daar ben ik al best vaak een beetje jaloers op geweest.

'Hé, hallo, is daar iemand?' horen we ineens. Zaklantaarns schijnen langs de berg omhoog.

'Ja, hier! We zijn verdwaald, kom ons halen,' roepen we nu allemaal.

Mijn diepste wens van de waterput is meteen vervuld, want er komt een jongensgroepje aan. En voorop loopt Luca.

Natuurlijk weten de jongens hoe we verder moeten. Langs het enge smalle paadje, springend over de kloof.

Dit is mijn kans. De zus van Gina, Luca's vriendinnetje, zit in een andere groep. En het is nog steeds pikdonker.

Ik zorg dat ik naast Luca kom. Hij loopt snel en het is lastig om hem bij te houden. Als ik voor de tweede keer bijna onderuit glij, pakt hij mijn hand. 'Voorzichtig.'

'Ik heb geloof ik niet echt de goede schoenen aan,' mompel ik. Zijn hand om de mijne! En hij blijft me nu vasthouden. Ik gluur even opzij, maar zijn gezicht zit verstopt in zijn capuchon.

Het wordt nog beter. Want nu begin ik van top tot teen te bibberen. Volgens mij komt dat eerder van liefde dan van kou, maar Luca zegt: 'Straks vries je nog dood.' Dan slaat hij zijn arm om me heen. 'Zo beter?'

De fireball, de zwangere Gina, May die ergens achter me loopt, op slag is niks anders meer belangrijk. Nu verdwalen in deze ijsbergen…

'Wat ik je steeds nog wilde zeggen,' zegt Luca en zijn stem kriebelt op mijn wang, 'over laatst, when we were rolling…'

Rolling?

'… on those lovely little pills, toen heb ik misschien…'

Ik wil helemaal niet weten wat hij gaat zeggen en het enige wat ik kan bedenken om hem te stoppen, is blijven staan en hem keihard op zijn mond zoenen.

Natuurlijk zoent hij terug. Kort, dat wel. Dan kijkt hij snel achter ons, maar niemand heeft het gezien. 'Waar was dat voor?'

'Dáárvoor. En verder hoeven we het er niet meer over te hebben, oké?'

Luca grijnst. 'Got it.'

Pri-ma, pr-ima, pri-ma knerpen mijn voeten op de koude grond.

Dan hoor ik mezelf zeggen: 'Wist je het al van Gina?'

Natuurlijk weet hij het niet van Gina.

'Ze is zwanger.'

'Gina? Van Tony? Jezus, wat een sukkel.'

Bedoelt hij nou Gina of zijn broer?

'Tony weet het nog niet, dus hou wel je mond. En niet zeggen dat je het van mij hebt, goed? Ze gaat het met Sofía erbij vertellen.'

'Dat wordt oorlog,' zegt Luca grimmig.

'Ja, afschuwelijk,' zeg ik – terwijl ik denk: ja, spannend.

En dan is daar toch nog plotseling het grote kampvuur met de barbecue en de muziek en warme chocola. Luca blijft me nog een tijd vasthouden. Gearmd lopen we tussen de mensen door, alsof het de gewoonste zaak van de wereld is.

Ook langs jou. Even blijft je blik haken, je wenkbrauw gaat een klein stukje omhoog.

Je hebt het gezien, gezien, gezien!

Ineens klinkt er gejoel. Het is in jouw kringetje en iedereen kijkt op.

John zit op zijn knieën op de koude grond. Jij hangt een beetje achterover, je handen voor je mond geslagen.

'Dat ziet eruit als een huwelijksaanzoek,' zegt May. En dat is het ook.

Nu snap ik waarom mijn vader en de choreograaf steeds geheime repetities hadden na het eten: we krijgen ter plekke een minishow, nog voor jij de kans krijgt om ja te zeggen. Het lijkt wel een flashmob – overal springen nu mensen op. *'Can't you feel a brand new day,'* zingen ze, dansen ze, wervelen ze. Voor even is dit geen donkere bergwei in de nacht, maar het decor van een fantastische liefdesclip.

Je derde huwelijk gaat dit worden, geloof ik. Of misschien wel je vierde. Er was de man die je mishandelde toen je zeventien was. Daarna de vader van Tony en Luca, die was al niet veel beter. Toen een of andere grote liefde die je van de kanker af hielp, maar die ging zelf dood. En nu dus John, die al best lang je vriend is.

Iedereen kijkt naar jou. De tranen lopen over je wangen. In je hand een ring met een diamant die zo groot is dat ik hem vanaf waar ik sta zelfs zie glinsteren.

'Sì,' zeg je, 'oh yes, I will.'

Dit is de allerbeste manier om iemand ten huwelijk te vragen. Alles klopt: de ring, jouw familie en vrienden die ontroerd staan toe te kijken, de muziek, de megafles champagne en echte glazen die ineens tevoorschijn zijn gekomen.

Ik zoek Luca, maar hij staat nu natuurlijk naast de zus van Gina, die aan hem hangt met iets trouwlustigs in haar blik waar Luca vast niet tegen kan.

Dan zijn er serpentines en zelfs vuurwerk, dat de zwarte, koude nacht stuk knalt. Fonteinen en waaiers en gouden sterren die volop concurreren met de echte.

Als het nu al zó is, hoe geweldig gaat die bruiloft straks dan wel niet worden?

Gina vertelt een paar dagen later in het theater dat ze zwanger is.

'Oh my god,' zeg jij. 'Tony, wist jij hiervan?'

Tony kijkt alleen maar heel onnozel.

'Sorry, Tony,' zegt Gina, 'maar ik wist niet hoe ik het anders moest vertellen. Ik wil dit kind ontzettend graag en ik hou zoveel van je. Soms een beetje te veel, ben ik bang.'

Ze begint te huilen.

En dan moet Tony van jou vertellen over zijn stiekeme bezoekjes aan darkrooms, die nog steeds niet helemaal over zijn.

'Het wordt minder, echt,' zegt hij. En dat hij ook heel veel van Gina houdt en niets liever wil dan een geweldige vader voor de baby zijn.

Dat wordt slaan, denk ik. En Tony denkt het vast ook – hij staat te trillen als een kleuter op de rand van een veel te groot zwembad.

Grote handen op grote mannenlijven. Dat komt er nou van. Hard, harder, nog harder, misschien wel tot het bloedt. Dat je er bijna niet naar kunt kijken maar dat toch doet – zoals je naar een griezelig ongeluk kijkt vanuit de file aan de andere kant van de weg. Ligt daar nou een dode?

Griezelig is verrassend lekker als je durft te kijken. Bloed en ellende van anderen. Het opwindende geluksgevoel dat het jouzelf niet overkomt, dat jij de dans ontspringt. Iemand moet het zijn, maar – yes! – niet ik.

Het loopt anders. Gina is echt een soort heilige, die vindt het niet eens erg dat Tony soms sexually hooked is. 'Zo ben je nou eenmaal.'

'Het ziet ernaar uit dat ik grootmoeder ga worden,' zeg jij dan. 'En er gaat nog iets anders heel spannends gebeuren ook. God, wat een leven.'

Even weet ik niet wat je bedoelt.

Dan omhels je Tony en Gina. 'Een dubbele bruiloft.'

De zakenman moet gaan zitten en jij praat nog een keer alles met hem door.

'Dus je wilt dit echt?' vraag je indringend. 'En hierna nooit meer?'

'Ja,' zegt de zakenman en hij huilt bijna, zo blij is hij dat zijn wens nu eindelijk vervuld gaat worden.

Mouw oprollen, jodium. Die spuit.

May duwt tegen me aan. 'Doen ze het al?'

'Ik geloof het wel, ja, ik zie Tony het doen.'

Dan zet Tony een stap naar achteren. Hij kijkt raar. Zou hij het nu zelf heel erg missen?

In de eindeloze stilte na de prik zegt de zakenman met een kinderstem: 'Ik ben duizelig.'

'Dat gaat over,' zegt Tony toonloos.

'En misselijk.'

'Dat ook.'

Ik ben het ook. Duizelig. Misselijk. Ineens vind ik het helemaal niet spannend meer, maar vooral heel naar.

May heeft er minder last van. 'Kijk nou,' giechelt ze als de zakenman met een grote grijns achterover zakt. Twee mannen ondersteunen hem. Jij zit al die tijd recht tegenover hem, houdt je ogen niet van het gezicht van de zakenman af.

'Volgens mij heeft Sofía vroeger ook wel eens…' fluistert May.

'Echt?'

'Ik weet het niet zeker, hoor. Maar ze heeft alles al wel eens meegemaakt, geloof ik.'

Na een halfuurtje beginnen er mensen weg te lopen. Het is ook eigenlijk best saai. De zakenman zit alleen maar een beetje te giechelen en als hij wat zegt is het zo zachtjes dat niemand hem verstaat, alleen de mensen vlak bij hem.

'Iew, hij kwijlt,' fluistert May. 'Ik ga nooit heroïne nemen.'

'Ik ook niet.'

Zes uur duurt het. Dan is May allang weg en de meeste andere mensen ook. Sommigen zitten te lezen of te mediteren. Elke en haar moeder zitten in een apart hoekje, met mensen van de staff erbij. Ze houden elkaar goed vast. May heeft nog gevraagd of Elke met haar meeging, maar Elke kan niet ophouden met naar de man te kijken. Ik probeer te bedenken wat ze nu voelt. Woede? Verdriet om haar broer? Of jaloezie?

Jij zit nog steeds in dezelfde houding tegenover de zakenman. Tony en de dokter ernaast. Af en toe zegt iemand iets, of brengt een glaasje water. Op een gegeven moment wil de zakenman naar muziek luisteren en dan komt Luca met een geluidssetje aan.

Klassieke muziek, heel rustig.

En later Franse liedjes, want dat wil de zakenman graag, geloof ik.

Mijn moeder sluipt zachtjes naar me toe met een grauw gezicht. 'Ga toch lekker weg, schat.'

'Nee, ik wil blijven.'

'Waarom? Hier, ik geef je geld om ijs te gaan eten met May. Lekker bij het zwembad.'

Maar ik kan niet weg en ik kan mijn moeder niet uitleggen waarom niet. Het is alsof ik gevangen ben in een of ander web. Ik kan er niet uitbreken en bij het zwembad zijn terwijl die hele rottrip hier nog steeds aan de gang is.

Gek genoeg voelt het alsof ik boos ben. Boos op Tony en de dokter, die dit volgens mij helemaal niet mag doen. Zelfs boos op jou. Dat dat gif nu door het lijf van die man raast en maakt dat hij nooit meer dezelfde zal zijn. Wat moet hij nou als zijn grootste wens vervuld is? Wat blijft er dan over? Is dit het wel waard?

En dan is er nog iets anders, iets wat ik nooit hardop zal zeggen.

Ik begrijp die man.

Nu ik dit heb gezien, wil ik ook. Ik ga het heus niet echt doen, heroïne, ik wil er niet zo zielig kwijlend bij zitten, ik ben niet gek. Maar, ook al is het misschien heel erg, ik wil het weten. Wat gebeurt er, waar ga je heen, en hoe voelt het daar, echt? Zijn de kleuren anders, voelt het lekkerder dan verliefd zijn, zijn alle rare hoekjes en zwarte gaten in je hoofd dan heel eventjes gevuld zodat je echt alleen maar blij bent? Die man weet het nu. Tony ook en jij ook.

Ik neem het je best wel een beetje kwalijk dat je me hiermee hebt opgezadeld. Net als die man: ik zal er nu altijd een piepklein beetje aan blijven denken. Een niet-ingeloste mogelijkheid.

Al zou ik het echt wel durven als jij bij me bleef en zo intens naar me keek de hele tijd. Dan zou ik alles durven.

Vandaag is het familiedag in het theater.

'Familie is het belangrijkste wat er bestaat,' zeg jij altijd. Vroeger dacht ik dat je daarmee ons allemaal bedoelde, maar nu zie ik dat het anders zit. Natuurlijk is iedereen die op de een of andere manier bij Casa Nostra hoort en mee is naar het eiland, heel speciaal. De staff is nog een beetje specialer. En dan is er je echte familie: je zoons zijn alles voor je. Daar zou je je leven voor geven. Mijn vader en John staan een beetje tussen de staff en je familie in. Zij zijn je belangrijkste adviseurs, hun vertrouw je alles toe. Of bijna alles.

Ik heb zin in vandaag. Vorig jaar was de familiedag een soort partijtje. Er was toen een man die graag weer eens een klein jongetje wilde zijn. 'Tony,' zei jij, 'regel dat.'

Tony had in tien minuten samen met de Club van de zaal een speelplaats gemaakt. Met een tienkamp van spelletjes en een lange rij grote mensen die compleet voor gek liepen door 'Row, row, row your boat!' te zingen in een polonaise. Het leukste was het taartengevecht. Er was die dag iemand van de staff jarig, maar niemand vond de crèmetaart die de nieuwe kok had gemaakt echt lekker.

'John?' zei Tony tegen jouw vriend. En toen die zich omdraaide drukte hij gewoon een van die vieze taarten in zijn gezicht. John liet dat natuurlijk niet zomaar op zich zitten en greep een ander stuk taart.

'Kom op!' gilde May. 'Wij pakken Luca!'

Later moesten we heel lang onder de douche en we waren bang dat we pukkeltjes zouden krijgen van die vette groene crème.

Vandaag zit iedereen die hier is met een gezin, vooral als het jonge kinderen zijn, in de binnenste ring. Ook mijn broertje en Tinka zijn er. Tinka is nu elf, zo oud als ik was tijdens mijn eerste vakantie hier. Ik hoorde toen al half bij de Club, maar Tinka verstopt zich nog de hele tijd bij de oppas.

'We gaan op een magic journey,' zeg jij.

De ouders moeten een blinddoek voor. En de kinderen mogen hen overal mee naartoe nemen en van alles laten voelen. Het zachte fluweel van de gordijnen. Het beeld van de blote Griekse man in de hoek. Zelfs ouwe koffieprut uit een kopje – alles is goed. Het wordt algauw een joelerige toestand.

Ik zie dat jij naar mij kijkt. Ik ben hier goed in, ik snap dat het kinderachtig is om mijn moeder te laten graaien in een asbak. In plaats daarvan leg ik haar hand op de dikke buik van een vrouw die zwanger is en mijn moeder huilt meteen onder haar blinddoek.

Je knipoogt naar me en loopt verder, samen met John.

Dan komt er een nieuwe opdracht. De blinddoeken gaan af en de ouders moeten tegenover elkaar gaan staan met de kinderen ertussenin. 'Niet te dicht op elkaar,' roep je, 'hou wat ruimte. Gebruik de hele zaal.'

'Maak een standbeeld,' zeg je dan.

Sommige families slaan de armen om elkaar heen en blijven als bevroren zo staan. May en Beatrice gaan met hun ruggen tegen elkaar aan staan, dat ziet er interessant uit. Totdat ik zie dat er tranen over Mays wangen rollen. May huilt niet vaak en zeker niet zonder reden. Wat is er aan de hand?

Ik wil het eigenlijk tegen jou zeggen, maar eerst moet onze familie zelf een standbeeld worden. Onhandig staan we tegenover elkaar. Mijn zus en mijn moeder kijken naar de grond alsof daar iets heel belangrijks verstopt zit.

'Een kringetje?' stel ik voor.

'Nee, geen kringetje,' zegt mijn broertje. 'Mama moet me tillen.'

'Op elkaars schouders?'

'Waar zie je me voor aan?' zegt mijn vader.

Mijn moeder en Tinka tonen nog steeds geen enkel initiatief. Gelukkig zie ik jou voorbij lopen. 'Sofía,' roep ik zonder erbij na te denken, 'wat moeten we doen?'

Je houdt je hoofd scheef. Mijn broertje staat aan mama's rok te hangen. 'Doen jullie dat ook eens,' zeg je tegen Tinka en mij. 'Pak je moeder vast en trek aan haar. En dat je moeder op haar beurt aan je vader trekt.'

We nemen onze posities in en doen alsof we heel hard trekken. Mijn vader staat erbij alsof hij met geen mogelijkheid vooruit komt. Hij is een matroos die naar zee gaat, verzin ik, of een soldaat naar de oorlog. En wij, zijn gezin, willen dat natuurlijk niet.

'Prachtig,' zeg jij en je loopt door naar de volgende familie.

Dan moeten de kinderen weer in het midden en de ouders een flink stuk uit elkaar.

Het duurt best lang, maar als iedereen eindelijk staat, leg je uit dat de kinderen nu naar een van beide ouders toe moeten lopen. 'Gewoon, op intuïtie.'

We moeten het eerst vertalen voor Tinka en mijn broertje, maar dan loopt mijn broertje onmiddellijk naar mijn moeder toe en slaat zijn armen om haar middel. Tinka draait zich om en loopt naar mijn vader.

Daar sta ik ineens in het midden, tussen mijn ouders in. Wie moet ik nu kiezen?

Terwijl om ons heen iedereen lacht en heen en weer rent, bijt ik op mijn lip. Mijn vader aan de ene kant en mijn moeder aan de andere en allebei kijken ze zo smekend naar me. Hoe langer ik de beslissing uitstel, hoe dramatischer het wordt. En hoe minder ik het kan.

Na een tijdje ben ik nog het enige kind dat niet heeft gekozen. Plotseling zijn alle ogen op mij gericht – en deze keer vind ik dat helemaal niet fijn.

'Lok haar maar,' zeg jij. Je staat naast mijn vader nu en volgt zijn blik.

'Kom dan hier, Alicia, kom dan…' begint mijn vader meteen te slijmen.

John staat ineens naast mijn moeder, zijn hand op haar schouder. 'Kom op,' zegt hij tegen haar, 'maak je hard voor je oudste dochter.'

Ik zie dat mijn moeder dit ook moeilijk vindt. Ze probeert geruststellend naar me te glimlachen. Leuk hè, Alicia? Het is allemaal maar een spelletje.

Ik weet wel beter. Spelletjes voelen anders.

Wat vindt mijn moeder eigenlijk zo lastig? Dat ik niet naar haar toe loop (wat ik misschien wel eigenlijk het liefste wil)? Of dat ik er zo lang over doe om te kiezen?

Hoe kan ik niet voor mijn vader kiezen? Mijn vader is niet iemand die je zomaar laat staan. Mijn vader stel je niet teleur. Ik al zeker niet. Tinka te bang, mijn broertje te zwak, van mij zal het moeten komen. Goede cijfers op school, een succesvol leven nu en later – dat maak je zelf, daarvoor ben je zelf verantwoordelijk. Dat is tenminste wat mijn vader mij leert. En hij leert dat natuurlijk weer van jou. Kijk maar naar jouw eigen leven: opgeklommen uit de getto van Little Italy, een afschuwelijke jeugd met geweld en armoede en dan ook nog die kanker. En zie je hier nu staan! Mooi, rijk, omringd door zoveel bewonderaars. Jij bent mijn voorbeeld, bij alles.

'Alicia, kom dan,' lacht mijn vader. Voor hem is het nog steeds een soort grapje.

'Kom op, maak een keuze!' Dat zeg jij. Nog nooit eerder heb je die toon tegen me aangeslagen en alles in mij wil doen wat je zegt, kiezen, stelling nemen.

Maar ik kan het niet!

Niet als ik naar dat gedoofde gezicht van mijn moeder kijk, hoe lelijk ze daar staat met haar armen slap. Hou je buik dan in, stomme mama, lach!

Een spelletje, dat is wat het is. En mijn moeder kent de spelregels niet.

Iedereen kijkt nog steeds naar mij. Ook Tinka, met grote paniekogen, en mijn broertje met zijn duim in zijn mond. 'Mama, je knijpt,' zegt hij.

'Hup, Alicia!' roepen een paar mensen van de staff. 'Kies!'

'Nee.'

'Kies nou maar!' Dat is May. Ik kijk op, haar tranen zijn weg. Of heb ik ze verzonnen? May staat kaarsrecht naast haar moeder, twee sterke vrouwen zonder man. Ik stuur haar een boze blik toe, zij heeft makkelijk praten met haar tweepersoonsfamilie.

'Alicia?'

Ik denk dat mijn moeder ook wil dat ik naar mijn vader loop. Dat ze het net als ik anders te pijnlijk voor hem vindt.

Ik loop naar mijn vader.

'Wat is er eigenlijk aan de hand met je moeder? Ze ziet er zo… warrig uit. Zo ken ik haar niet,' zegt een paar dagen later een oude vriendin van mijn moeder die ook al weer een paar jaar bij Casa Nostra zit.

En ineens kan ik zien wat zij ziet. Voor het eerst. Ben ik nu volwassen?

Warrig is niet het goede woord. Mijn moeder ziet er niet *lekker* uit. Als een taart die uit de oven komt en toch tegenvalt. Als een truitje dat zo mooi stond bij de verkoopster. Als een film waarvan je uiteindelijk alle geweldige reviews niet echt begrijpt.

Wanneer er echt leuke gesprekken gaande zijn, lacht mijn moeder niet mee. Haar vriendinnen zijn vriendinnen van elkaar, niet van haar. Ze zit er maar zo'n beetje bij. Als er andere mensen om haar heen zijn, wordt ze zo halfslachtig. Alleen wanneer we samen zijn, met mijn zusje en broertje en mijn vader, of op een plek die op slot kan, zoals in de auto, dan zie ik de moeder van vroeger weer. Met altijd warme handen en een belofte van zelfgebakken zandkoekjes. Zo'n moeder die echt geïnteresseerd is in elk klein stom dingetje dat je op school hebt meegemaakt, al is het maar dat je voor het eerst weet hoe je een muizentrappetje moet vouwen.

Het gaat alleen allang niet meer over muizentrappetjes.

Mijn vader moet steeds naar Nederland bellen.

'Vindt Sofía dat wel goed?' vraag ik. Jij wilt dat we honderd procent op het eiland zijn. Het liefst zou je alle telefoons innemen, net zoals de leraren op school.

Mijn moeder zegt dat het bellen van papa te maken heeft met die vervelende vrouw uit zijn toneelgroepje.

'Die was toch weg?'

'Ja, maar nu heeft ze een interview over papa en Casa Nostra gegeven aan een krant en willen ze dat papa op tv komt.

'Echt?' zeg ik. 'Mag ik dan mee?'

Maar mijn vader gaat helemaal niet naar de tv. 'Die zijn er bepaald niet op uit om het echte verhaal te horen. Van die afzeikerds zijn het, echt typisch Nederlands.'

Ik vind het best jammer.

'Heb je het zelf al gelezen?' vraagt May.

'Dat interview? Nee. Maar ik ben geloof ik de enige hier.'

Gluren. Dat is wat de mensen doen. Stoppen met praten als ik aan kom lopen.

Uiteindelijk krijg ik de krant van Sabina. 'Ik vind dat je dit wel moet weten,' zegt ze ernstig.

LEVENSGEVAARLIJKE SPELLETJES BIJ CASA NOSTRA.

Ik loop snel naar mijn kamer.

Een supergrote foto van mijn vader. Ik ken die foto wel, toen had hij net een voorstelling geregisseerd en stak zijn handen in de lucht om het enorme applaus af te weren. Dat was een grappig moment, maar zo ziet het er nu niet uit. Een rare lange man op een podium met allemaal mensen, vooral vrouwen, die hem toejuichen alsof hij de president zelf is.

Levensgevaarlijk?

Het woord valt hard als ik het voor de tweede keer zie.

En daarna word ik ontzettend boos, ik kan bijna niet meer stilzitten. Mijn vader is helemaal niet levensgevaarlijk en Casa Nostra ook niet. Hoe kunnen ze zoiets gemeens opschrijven? Hoe durven ze – ze hebben het wel over mijn vader!

May komt binnen en samen lezen we het stuk, of eigenlijk is het meer heel snel door de zinnen jagen. Hoe haastiger ik lees, hoe minder ik het hoef te begrijpen.

Toch blijven sommige woorden aan me kleven, als kauwgum aan je schoen. Scherpe woorden. Autoritair. Machtswellust. Fysieke en geestelijke mishandeling. *Mishandeling?*

'Mijn vader heeft gelijk,' zeg ik tegen May, 'ze begrijpen er niks van bij die krant.'

'Ja, echt be-lach-e-lijk,' zegt May.

Maar, denk ik, dit is wel de krant van opa en oma. En van de ouders van Isa. Onze buren thuis hebben hem ook. Wat zullen die ervan denken? Iets in mij zegt dat die er vast niet om zullen lachen.

Mijn vader komt binnen. 'God, heb jij dat stuk nu ook al?'

'Heb je die vrouw echt geslagen?' vraag ik.

'Ik niet. Dat heeft haar eigen man gedaan.' Hij grinnikt zelfs een beetje. Dan zegt hij: 'Daar heb ik een fout gemaakt. We zaten midden in Virginia Woolf. En die vrouw begreep het maar niet, wilde niet begrijpen waar we mee bezig waren, waar die voorstelling over ging. Ze verpestte alles, haalde ons allemaal het bloed onder de nagels vandaan. Je kunt je dat wel voorstellen.'

Ik knik.

'Die man werd juist steeds dapperder door die rol. En op een dag begon hij haar echt te slaan. Hij viel haar aan, zomaar ineens. Terwijl het altijd zo'n zachte man was, zo'n sul.'

'En toen?'

'Nou ja, toen had ik natuurlijk in moeten grijpen. Maar het was eigenlijk zo fantastisch wat daar gebeurde. Zo'n doorbraak voor die man. En voor die vrouw eigenlijk ook, gek genoeg.'

'Dat vond zij blijkbaar niet.'

Mijn vader kijkt me even aan. 'Scherp gezien van je. Nee, die vrouw is daar weggelopen, zo naar de politie. En toen door naar de krant.'

'Was ze gewond dan?'

'Welnee. Blauwe plekken, tand door haar lip. Niet erger dan het gemiddelde kind na een robbertje vechten op het schoolplein.'

May en ik lopen zwijgend weg. Op de gang pak ik haar hand en ik laat hem zelfs in de lift niet los.

Ook jij wordt steeds gebeld en je geeft een telefonisch interview dat twee dagen later al in de krant staat.

Nu gaat het pas echt mis.

Mijn moeder snikkend op de hotelkamer, mijn vader die rondloopt met een gezicht waar de woede vanaf knettert. Opa en oma die zomaar opbellen. Nog meer gegluur.

En dan mijn vader die opstaat in het theater en dat je weet: dit gaat niet goed. Helemaal niet.

'Je hebt me laten vallen,' zegt hij tegen jou.

Je zit in je stoel, je benen onder je opgetrokken. 'Natuurlijk heb ik dat gedaan,' zeg je ernstig.

Mijn vader lijkt je niet te horen. 'Je begrijpt donders goed wat daar in dat clubje gebeurd is. Met die vrouw en dat slaan. En je bent het ermee eens ook.'

'Daar gaat het niet om, Simon,' zeg je.

'O nee?'

'Nee, en dat weet je best.'

'Zeg het dan in mijn gezicht, als je durft.'

Eindelijk ga jij ook staan. 'Als ik moet kiezen tussen Casa Nostra en jou, dan kies ik voor Casa Nostra,' zeg je rustig. 'Dat is mijn levenswerk, van mij en mijn familie, daar heb ik hard voor gewerkt. Dat laat ik echt niet zomaar kapotmaken.'

En mijn vader dan? denk ik. Heeft die er niet keihard voor gewerkt?

'Je familie?' vraagt mijn vader. Zijn gezicht is rood, alsof hij zo gaat huilen. Of vechten, zoals die ene keer met mijn oom.

'Mijn familie, ja. Casa Nostra.'

'En mij? Wat maakt dat mij?'

Je zucht en zet een stap naar achteren. 'Dat ik jou dit moet uitleggen. You, of all people. How embarassing.'

Je glimlacht zelfs even naar de staff en een paar mensen lachen terug. Beatrice. Tony.

'Simon,' zeg je dan, 'jij bent mijn Nederlandse bedrijfsleider. De schakel tussen mij en de wereld, mijn consigliere. Je hebt fantastisch werk geleverd en ik zou niet weten wat ik zonder je had moeten doen. Maar je bent geen familie.'

Ik ben ineens bang dat ik moet overgeven. Luchtziek, zoals in het vliegtuig.

Mijn vader in zijn zwarte staffbroekje. Wat is hij toch dun en kleurloos. Waarom is hij niet zo groot en gespierd als Tony of John?

'I see,' zegt hij. Zijn stem te zacht, zijn schouders te krom.

Ik sla mijn hand voor mijn mond, slik iets zuurs weg.

'Gaat het?' fluistert May.

Dan is er ineens rumoer, een stoel valt om. Een wit figuurtje maakt zich razendsnel los van de groep mensen die achter bij de staff zit en stormt naar voren. Het duurt even voor ik mijn eigen moeder herken, in een wit vestje.

'Oh my god,' zegt May naast me.

'Dat kun je niet maken!' gilt mijn moeder in het Nederlands.

'Sorry, ik kan je niet verstaan, Lydia,' zeg jij geamuseerd.

Mijn moeder stampvoet en gilt, nog steeds in het Nederlands. 'Na alles wat hij voor je gedaan heeft, laat je hem gewoon vallen.

Zeg je rustig in de krant dat hij een gevaarlijke gek is. Zo ga je niet met mensen om – dat heeft hij niet verdiend en ik ook niet.'

'Kan iemand haar even vertalen?' vraag je en je buigt naar achteren, naar de staff.

Je glimlacht nog steeds terwijl iemand mijn moeders woorden in het Engels voor je herhaalt. Dat maakt mijn moeder nog bozer en ze rent naar je toe. Wat is ze van plan? Gaat ze je aanvallen? Ik zak een beetje onderuit in mijn stoel. Liever nog zou ik onder alle stoelen verdwijnen, stiekem wegglijden naar buiten. Tegelijkertijd wil ik dit alles zien, tot in de kleinste gruwelijke details. Dat moet.

Een klein tikje van jou is al genoeg om mijn moeder tegen te houden. Ze zakt in elkaar en grijpt je enkel. 'Dat je mij niet leuk vindt, dat is goed. Dat heb ik allang geaccepteerd. Maar mijn man, die mag je niet zo behandelen. Dat mag niet. Zo ga je niet met je familie om.'

Haar stem is huilerig en zwak geworden. Ze ligt daar maar op de grond, nog steeds met haar hand om jouw enkel. Ik begrijp het niet. Net stond ze toch nog te stampvoeten? Het lijkt wel bulletschaak, dat deden mijn oom en ik wel eens: supersnel schaken zonder bedenktijd. Soms vlogen de stukken door de lucht en was je schaakmat in een paar minuten. Daarna moesten we dan zeker een halfuur terugdenken om te reconstrueren hoe dat eigenlijk was gebeurd. Vandaag is mijn moeder de witte koningin – en zwart wint.

Je kijkt op mijn moeder neer met een blik die zo koud is dat ik er zelfs op mijn veilige afstandje van begin te bibberen.

'Familie. Wat praten jullie toch over familie? Krijg jij eerst je eigen familie maar eens op orde, Lydia. En jij ook, Simon. Wat is dit nou voor moeder? Een en al paniek, een en al ingehouden angsten en frustratie. Het is maar goed dat je kinderen het daarvan niet moeten hebben. Veiligheid, Lydia, dat is wat familie is. Die jongste dochter van je, heb je daar wel eens goed naar gekeken?

Die loopt al zolang ik haar ken rond als een doodsbang konijn op een of andere snelweg. Zie je dat eigenlijk wel? En je zoon is nog steeds een moederskindje. Het zou me niks verbazen als hij op school gepest wordt. Hoe leert dat kind ooit wat weerbaarheid is?'

Mijn handen worden ijs- en ijskoud en al het spuug verdwijnt uit mijn mond.

Dit is het ergste.

Je kunt veel tegen mijn moeder zeggen. Dat ze niet zo'n goede tandarts is bijvoorbeeld, of dat ze weinig echte vriendinnen heeft (misschien wel niemand). Of dat ze niet echt leuk meedoet tijdens de vakanties. Maar zeggen dat ze geen goede moeder is, is net zoiets als een vogel de vleugels uitrukken, met botjes en al. Haar eigen moeder heeft haar vroeger weggegeven aan een weeshuis, weet jij dat wel?

Natuurlijk weet je dat.

Vecht dan, mama, denk ik, terwijl de tranen over mijn wangen lopen en ik nog steeds wee ben van misselijkheid.

Vecht!

Maar ze blijft liggen.

Zelfs als jij je enkel losrukt van haar hand en haar ook nog een soort schop na geeft.

Zelfs als mensen vanuit de staff van alles tegen mijn moeder beginnen te roepen, variërend van: 'Kom op, sta op!' tot zelfs: 'Slechte moeder! Je bent een slechte moeder, Lydia.'

Zelfs als mijn vader minutenlang niks doet en alleen maar naar de grond kijkt. Mijn vader, die altijd op alles een weerwoord heeft.

Pas na een eeuwigheid kijkt hij op en zegt tegen jou: 'Ik accepteer dit niet.'

Je lacht een harde heksenlach. 'O, pardon, dat is goed om te weten. Nou, dan staan we quitte.'

Je loopt naar mijn vader toe.

Gaat tegenover hem staan.

Kijkt hem recht in zijn ogen.

En dan zeg je het.

Drie woorden.

'You are finished.'

In de hotelkamer, tussen de koffers en de inderhaast bij elkaar gegrabbelde spulletjes, probeert mijn vader het uit te leggen aan mijn broertje en Tinka. Mijn moeder kan helemaal niet meer praten, geloof ik. Er zitten nog steeds stofvlekken op de rug van haar vest.

Laten we nu niet zo dramatisch doen, wil ik zeggen, het is al erg genoeg.

'Dus we gaan nu naar huis, zomaar ineens?' vraagt mijn broertje.

'En jullie gaan nooit meer naar Casa Nostra?' vraagt Tinka.

'Nee,' zegt mijn vader schor. 'Dat is in één klap voorbij.'

'Maar jullie werk dan? En al je vrienden?'

En het dubbele huwelijk van jou en Tony? denk ik.

Mijn vader haalt zijn schouders op. Hij ziet er lelijk uit, met meer plooien dan ooit. Op zijn gezicht, in zijn t-shirt. Gelige kringen onder zijn oksels.

'En ik?' vraag ik. Ik moet het twee keer zeggen.

'Als jij naar de Club wilt blijven gaan, dan kan dat gewoon,' zegt mijn vader dan. 'Toch, Lydia?'

Mijn moeder knikt. Ook zij is zomaar ineens oud geworden. In de oorlog heb je dat wel eens: dat iemand in één nacht grijs wordt als zijn eigen kinderen voor zijn ogen zijn vergast of zoiets. Het zou me niets verbazen als mijn moeder morgen grijs is.

'Ons geld krijgen we toch wel terug? Al ons spaargeld dat ons pensioen is?' Ik heb mijn gedachten zomaar hardop gezegd.

'Dat betwijfel ik,' zegt mijn vader. Ik heb hem nog nooit zo rustig gezien. Nee, verslagen.

'Maar hoe moet dat dan?' vraagt Tinka. Ze begint te huilen.

'Ik ga wel naar de bank,' zegt mijn vader, 'en we hebben elkaar. Dat is het allerbelangrijkste.'

Hij spreidt zijn armen en mijn moeder ook en dan staan we zo een tijdje in een familieomhelzing verstrikt. Weer een standbeeld, maar dan echt. Ik ruik mijn vaders lijflucht, die zuriger is dan zweet alleen, en verbaas me er tegelijkertijd over dat mijn moeder helemaal geen geur meer heeft. Waar is de koekjesgeur van vroeger?

Is dat zo? denk ik. Hebben we elkaar?

Lang niet iedereen van de Club weet wat er is gebeurd. Tony geeft me die middag het woord bij de Club Meeting en ik leg het kort uit. Dat mijn ouders een conflict... Dat mijn vader voor zichzelf gaat beginnen... En dat ik morgenochtend met ze mee terugga naar Nederland.

'Ik heb zelf geen ruzie en iedereen zegt dat ik gewoon bij de Club kan blijven. Maar ik heb eerst een beetje afstand nodig, ik moet nadenken over wat er precies is gebeurd en wat ik zelf vind. Dus ik ga morgen met mijn vader en moeder mee terug.' Iemand anders heeft deze woorden verzonnen, geen idee wie. Ik hoor mezelf praten als een wijs oud meisje.

'O, gelukkig,' zegt May, 'we hoeven geen afscheid te nemen. Je komt gewoon weer terug en we blijven vriendinnen. No matter what's up with the parents.'

'Precies,' zeg ik opgelucht. 'Het is een time-out, geen afscheid.'

'Oké,' zegt Tony. 'Zullen we dan nu over het Clubfeest van vanavond praten en wie nog wat moet doen?'

Elk jaar verzorgt de Club een van de feesten, vaak met een ruig thema als metal, punk of techno – die avonden zijn altijd legendarisch. Daar ben ik mooi nog bij.

Die avond dans en dans ik rond de vulkaan. Niks te verliezen en alles te geven. Het Clubfeest is nog nooit zo perfect geweest.

De muziek kan me niet hard genoeg, het stroboscopisch licht moet pijn doen en me blootleggen als röntgenstralen. Ik ben overal: op het podium, in het midden van de dansvloer met een kring mensen om me heen, met May, die steeds naar me lacht, kuiltjes in haar wangen, met Sabina, bij de deejaytafel met Tony (eindelijk dans ik eens met Tony), trippend zonder een grammetje drugs of alcohol. Mijn haren zwieren om me heen. En waar ik ook ben, ik zie jou, voel jouw ogen, dans voor jou en verleid jou.

'I love you,' zeg ik tegen Luca.

Laat dit vliegtuig nu maar neerstorten.

Het fijnste wat ik had laat ik achter me en wat er voor me ligt kan dat nooit meer evenaren. Ik ben zestien en het hoogtepunt van mijn leven is al voorbij.

En iets van mezelf, dat blijft ook achter. Een blije, mooie Alicia.

Gêne. Dat woord komt van het Hebreeuwse woord 'gehenna', heb ik een keer op school moeten leren. Hel of folterondervraging. Schaamte doet letterlijk pijn, alsof je tegen het schrikdraad valt.

Ik ben aangevreten, aangerand – zo moet dat voelen. De zelfhaat slaat in golven door me heen. Mijn vader haat ik ook, mijn moeder al helemaal, mijn bange zusje. En mijn broertje, die al weer vrolijk een of ander computerspel zit te doen.

Jou haat ik niet.

Oké, misschien bestaat jouw betoverde wereld vooral voor de mensen die erin wonen. En is dat alles niet zo echt en minder mooi dan ik steeds heb gedacht.

Maar wat moet ik daarmee? Als ik jou ga haten, maak ik echt alles kapot.

Alle erge dingen waar ik bang voor ben, gebeuren.

Dat stomme rotartikel dat steeds weer opduikt. Moeders van vriendinnen die vragen: 'Hoe gaat het nou thuis?' – op zo'n sensatieachtige toon. Het maakt niet uit wat ik antwoord. Alles klinkt verdacht, de woorden zijn bij voorbaat al besmet met dubieus gif.

Ik snauw tegen mijn lievelingsjuf en word de klas uitgestuurd. Alleen omdat ik denk een soort medelijden in haar ogen te zien.

Het is nog volop aan de gang tijdens de schooltoneelavond.

'Kom maar niet kijken,' heb ik thuis gezegd.

'Natuurlijk komen we kijken,' zegt mijn vader. 'Of wil je ons er soms niet bij hebben?' Hij kijkt me onderzoekend aan.

'Natuurlijk wel.'

Meteen als ik het toneel opkom zie ik ze al zitten. Op de eerste rij nog wel.

Na afloop is het druk. Ik blijf eerst extra lang bij het afschminken, en daarna zorg ik dat ik bij mijn ouders uit de buurt blijf.

Af en toe zegt iemand: 'Hé Alicia, je ouders zijn er.' Of zelfs: 'Je vader was naar je op zoek.'

Pas als ik ze weg zie gaan, hun ruggen met de grote donkere jassen, durf ik rustig rond te lopen.

Gehenna.

School is van mij, daar moeten ze niet komen. Zeker niet nu.

In de herfstvakantie hebben mijn ouders een huisje aan zee geregeld. 'Even rustig bijkomen met het hele gezin.'

'Ik ga niet mee.'

'Natuurlijk wel,' zegt mijn vader.

Maar deze keer houd ik vol. Dat ik allerlei optredens heb met de schoolband en dat dat ook heel belangrijk is. En een klassenfeest. Dat dat klassenfeest gaat plaatsvinden in ons eigen huis, vertel ik er maar niet bij.

'Als dit echt is wat je wilt…' zegt mijn vader uiteindelijk op zo'n licht treurige toon.

'Ja,' zeg ik hard.

Die dagen gaan in een waas aan me voorbij. Het huisfeest is heus wel leuk, maar het opruimen van de lege flessen en peuken en kapotte glazen kost heel veel meer tijd dan de avond zelf. Tycho, de nerd van de klas, is de enige die me daarbij komt helpen.

Van pure dankbaarheid zoen ik hem later op mijn bed. Tycho weet waarschijnlijk niet wat hem overkomt – al vanaf het brugklaskamp is hij verliefd op mij.

Zijn lieve woordjes smoor ik met mijn tong en tanden.

Zijn zachte, onhandige aaitjes veeg ik weg.

Zijn bewonderende blikken negeer ik door de aandacht naar hem te verleggen. Ik rits zijn broek open en buig me over hem heen.

'Wat doe je?' piept hij.

Kop dicht, Tycho, ik rand je aan.

Ondertussen kijk ik rond in mijn kamer, voor zover dat gaat dan, en maak plannen om die opnieuw te verven. Dat roze moet weg en dat geel ook. Groen misschien? Of donkerpaars. En een effen dekbed graag, niet dit ding met elfjes. Dat gooi ik na vandaag meteen bij Tinka in de kast.

Een paar dagen later wordt er een enorme bos bloemen bezorgd. Zonder kaartje erbij.

'"Voor Alicia" staat erop,' zegt mijn moeder, die inmiddels weer terug is van het vakantiehuisje.

Van jou! Ik kan het niet helpen, het is mijn eerste gedachte. Misschien komt het door de soort bloemen: het zijn van die grote rode kelken die jij soms ook in je haar hebt.

Je wilt het goedmaken.

Het is toch niet voorbij, alles begint gewoon weer opnieuw.

'Heb je een geheime aanbidder?' vraagt mijn vader dan.

En ja, natuurlijk komen die rotbloemen van Tycho. Ze worden gevolgd door een regen van berichtjes en telefoontjes, diezelfde middag nog.

'Zo'n lieve jongen,' zegt mijn moeder.

'Maar ik wil dit écht niet, mama.'

We kijken allebei op, zo vaak noem ik haar geen mama meer. Meestal ma. Nog liever Lydia.

Hoort mijn moeder wel wat ik zeg? Weet ze eigenlijk wel wat er echt met me aan de hand is? Dat het lijkt op afkicken? Ze denkt waarschijnlijk dat ik problemen heb met slapen, omdat ik vaak nog heen en weer loop naar de wc als zij en mijn vader naar bed gaan. Maar dan héb ik al geslapen. Elke avond val ik uitgeput neer in mijn bed – om een uurtje later al weer wakker te schrikken uit dromen die echter en kleurrijker zijn dan de rest van mijn grauwe leven. In die dromen zie ik altijd jou, mijn mooie Sofía. Jij die danst. Jij die lacht. Jij die zingt. Die me wenkt. Dan schieten mijn ogen open, mijn hart klopt razendsnel – en het is niet waar. Dat besef: het komt misschien wel nooit meer terug. Dat is bijna niet te doen. Jij zou dat wél begrijpen en kracht naar me sturen, me aanraken. Eigenlijk zou iemand me de hele tijd moeten vasthouden, vooral 's nachts.

'Je moet het netjes afhandelen,' zegt mijn moeder zacht. 'Misschien kun je een brief schrijven?'

Een brief? Het duurt even voor ik begrijp dat ze een anti-liefdesbrief voor Tycho bedoelt. Mijn moeders vaste recept: schrijf een brief. Als je geen zin hebt in een feestje, je proefwerk niet goed hebt kunnen leren, per ongeluk een abonnement op iets hebt genomen... schrijf een brief en leg het uit, liefst met veel verhullende woorden. Zelfs die enge vrouw van de toneelclub die zulke nare dingen over mijn vader in de krant heeft gezegd, heeft ze een brief geschreven.

Gelukkig reageert er niemand. Wat moet je ook met een brief?

'Misschien,' zeg ik tegen mijn moeder.

Ze zit stil voor me, met een lege schoot, en we weten allebei niets te zeggen.

Ik heb zo lang mijn best gedaan om groot te worden, en nu ik het liefste weer even een heel klein meisje zou willen zijn, weet ik niet meer hoe het moet.

Time it was and what a time it was. Dat staat in het berichtje dat ik na een maand van May krijg. Ik zoek het op; het komt uit een liedje van één minuut waar ik zeker een halfuur om blijf huilen. Iets over herinneringen die als enige overblijven.

Er zijn al twee Clubweekends in Amsterdam geweest, maar niemand heeft gevraagd of ik kwam. Tony niet, jij niet. En zomaar erheen gaan alsof er niks aan de hand is voelt raar, ook naar mijn ouders toe. Casa Nostra is totaal uit ons leven gewist, inclusief al hun vrienden. Hoe langer dat duurt, hoe ingewikkelder het wordt om er zelfs maar over te beginnen.

Als ik in Amsterdam ben, zorg ik nu dat ik niet de tram neem die langs Casa Nostra rijdt. Maar op een dag, als ik aan het shoppen ben met Isa, zitten we ineens toch in die tram.

Zij zegt niks en ik ook niet. Misschien denkt Isa er niet eens aan. Of denkt ze dat het fijner voor mij is om het er niet over te hebben. Ik kijk toch, als we langs de halte komen.

CASA NOSTRA, de letters op de gevel. Het ziet er op de een of andere manier minder stralend uit. Misschien moet de schilder komen.

Dit kan dus: het ene leven stoppen en het volgende beginnen.

Tenminste, ik kan het. Mijn vader kan het. Op een dag komt hij stralend thuis. Hij heeft een of ander klusje in Parijs dat niet heel veel geld oplevert maar wel heel stoer is. 'En weet je wie ik tegenkwam op het vliegveld? John, de man van Sofía. En Tony.'

Hij zegt het aan tafel en het wordt meteen doodstil. Mijn hart krimpt in elkaar, dat voel ik. Tony! Jouw zoon!

Mijn moeder staart naar het tafellaken waar ze een jusvlekje probeert weg te vegen.

'O, mama, je mooie tafelkleed,' zegt Tinka, alsof dat vlekje iets heel verschrikkelijks is. Ze begint meteen te helpen met poetsen. Het wordt alleen maar erger.

'En ik had dus net die nieuwe hoed, hè,' gaat mijn vader door, zonder zijn stem ook maar een klein beetje te dempen. 'Mijn mooie Oxfordhoed en die lange jas. "Ik zag er echt tiptop uit. En dat zagen ze natuurlijk, John en Tony. "Ik ben op weg naar Parijs," zei ik tegen ze. "Klusje voor de Opéra." Nou, toen zag je ze wel kijken, natuurlijk. Dat wordt vast onmiddellijk overgebrieft naar Sofía. Hoezo "finished"? Nou ja, dat zal ze vanaf nu niet zo snel meer zeggen, haha. En die hoed, dat ik nou net die hoed op had...'

Ja, mijn vader redt het wel. Mijn broertje ook, die zit nu op freestyle en rent de hele tijd in sporthallen tegen muren en banken op. Daar is hij een stuk minder druk en vervelend van geworden.

Van Tinka weet ik niet zeker of ze het redt.

En mijn moeder heeft nooit meer warme handen. Koekjes bakt ze ook al niet.

Ze stopt met tandarts zijn en gaat op een crèche werken. Aan het begin van de winter stopt het werken helemaal, zomaar. Net zoals het breien.

'Kun je dat eigenlijk nog?' vraag ik.

'Dat verleer je niet,' zegt mijn moeder. Maar dat ze er gewoon geen zin meer in heeft. 'Ik heb wel genoeg gebreid in mijn leven.'

Ik ga met een groepje kinderen naar een pretpark en dan ontdek ik dat ik bang ben geworden voor de achtbaan. Wanneer is dat gebeurd? En dansen zonder te zweten, dat doe ik nu best vaak.

O ja, en af en toe probeer ik om iemand over jou te vertellen en waarom het zo geweldig was.

'*I wish my life was a non-stop Hollywood movie show,*' zing ik voor mijn vriend de bandleider.

Hij kent zijn klassiekers. '*Because celluloid heroes never feel any pain. And celluloid heroes never really die.*'

Dat weet ik dan weer niet.

'Wat is het tegenovergestelde van verlangen?' vraag ik aan hem.

'Eh... vervulling?'

Ik denk eerder dat het afkeer is. Afschuw. En dat die twee om en om aan en uit kunnen flitsen, als van die kerstboomlichtjes die steeds van kleur veranderen.

Het gaat goed met de schoolband, we krijgen steeds meer optredens. Soms zie ik mezelf als een contrastbeeld van mijn moeder. Als ik de deur uit hol naar school met mijn tas, mijn telefoon, mijn koptelefoon en in mijn mond een stuk brood, zit zij verstild in haar ochtendjas aan tafel, de theemok met I LOVE MAMA stevig in haar handen geklemd. Soms zit ze daar nog steeds als ik thuiskom, dan wel met kleren aan.

En dan is het Kerstmis. Mijn moeders most wonderful time of the year. Het begint al op kerstochtend. Dan komen mijn ouders ons al zolang ik me kan herinneren wakker maken als het nog pikdonker is buiten, allebei met een kaars in hun handen. Slaapdronken lopen we achter ze aan, drie kinderen op pantoffels. Beneden is er alleen maar het licht van de kerstboom. De tafel is gedekt met kaarsen erop en er staat een kerstbrood op het mooie tafelkleed. De hele kamer is warm en ruikt naar brood uit de oven en koffie. Over de speakers klinkt zacht een kinderkoor dat kerstliedjes zingt.

Het mooiste zijn de engeltjes. Zilveren engeltjes die op een trompetje blazen en door de warmte van dunne kaarsjes kleine rondjes vliegen langs belletjes die steeds zachtjes klingelen. Ting, ting, ting, het hele kerstontbijt lang.

Dit jaar begint als alle andere jaren. Gestommel op de trap, flakkerend kaarslicht in de gang.

Maar het is mijn vader die de tafel heeft gedekt en alles ligt een beetje scheef. Hij is de muziek vergeten en het ergste is dat er lamplicht is in de kamer. Gewoon de schemerlamp en het licht boven de tafel. Alle tover weg.

We gaan zitten, mijn vader heeft sinaasappels geperst. Tinka en mijn broertje drinken het met dikke slaapogen.

Ikzelf ben juist heel alert. Ik heb mijn moeder in de peiling, ze is er en toch niet. Op zijn best kun je haar dromerig noemen, maar ik denk meer aan een slaapwandelaar.

'Mama,' zegt Tinka ineens, 'we zijn de engeltjes vergeten aan te steken.'

Mijn vader pakt de lucifers, maar de kaarsen zijn een beetje scheef gesmolten. We kijken allemaal toe hoe hij ze niet goed aan krijgt.

'Nou ja,' zegt hij uiteindelijk en zet de engelen weer neer op tafel. 'As ze niet vliegen zijn ze ook mooi.'

Hij snijdt kerstbrood voor ons af. In de roomboter zitten mini-kerstballetjes geprikt.

Ik kan mijn ogen nog steeds niet afhouden van mijn moeder. Ze pakt de engeltjes en eerst denk ik dat ze toch gaat proberen ze aan te steken. Dat denken we allemaal. In plaats daarvan begint ze te trekken. Engeltje voor engeltje rukt ze los, het zijn er drie.

'Mama, wat doe je nou?' zegt mijn broertje.

Tinka begint een beetje te huilen en mijn vader springt op. Hij kan niet voorkomen dat mijn moeder de drie engeltjes hardhandig in elkaar knijpt, tot ze hun trompetjes verliezen en hun glanzende lijfjes lelijk en kreukelig zijn geworden.

'Je hebt ook eigenlijk gelijk,' zegt mijn vader na een tijdje. 'Die dingen waren oud en beroet, hoelang hebben we ze al wel niet? Nog van voor de geboorte van Alicia. We kopen wel nieuwe.'

Mijn moeder knikt en schenkt nog wat thee in.

De onnavolgbare oplossingen van mijn moeder. Net als: 'Misschien kun je een brief schrijven?'

Eigenlijk is dat niet eens altijd zo'n slecht idee. In mijn hoofd ben ik begonnen met een brief aan jou. Een verhaal dat alleen ik kan vertellen. Als ik je schrijf, dan vergeet ik niks – en, minstens zo belangrijk, jij ook niet, met je dynamische leven en iedereen die altijd maar om je heen zwermt. Het maakt niet uit wanneer ik je die brief stuur. Als ik je schrijf, is het nooit echt afgelopen.

Soms geloof ik gewoon niet dat je echt bestaat. Dat alles waar is en echt gebeurd.

Dat jij nog steeds rondloopt ergens, nu, gewoon in echte tijd. Dat je op ditzelfde moment waarschijnlijk aan het werk bent bij Casa Nostra. Misschien maak je nu wel iemand heel erg aan het huilen. Of heel blij en gelukkig, dat is al helemaal niet te verdragen. Ik wil ook!

Af en toe komen er boodschappers uit het verleden. Vrienden van toen die ook weg zijn bij jou. Ze vertellen over een kleinkind, een meisje (ik wilde liever dat het een jongen was). Over Tony, met wie het niet goed gaat – iemand zegt dat hij aids heeft. Die iemand zegt zelfs: 'Dat komt er nou van.'

Mijn vrienden zijn het niet.

Het valt wel op: je laat een spoor van omgevallen mensen achter, zoals een kat die over een schaakspel loopt. Ze zeggen wel dat katten heel beheerst en behoedzaam bewegen, maar die van mijn oom gooide vaak van alles om.

Laatst zag ik een groepje Amerikaanse latinavrouwen in de tram. Ze praatten te hard en te Amerikaans. Ik dacht aan jou, natuurlijk, en ineens was ik bang dat ik zou gaan kotsen. Ik moest razendsnel uitstappen en frisse lucht inademen. Ik ben niet zo sterk als jij, weet je, misschien is niemand dat. Lijken de meesten van ons eerder op tere, al dan niet verfrommelde kerstengeltjes.

En vannacht droomde ik ineens dat ik je schopte, heel hard. Je veerde terug als een boksbal, met die heerlijke, omhelzende lach van je. Mijn allerliefste Sofía, ik werd met een keiharde schok wakker.

Maar mama? Waarom toch dat met mama? Hoe kan ik nou ooit nog bij je terugkomen?

Ik herinner me alles. Hoe je naar me keek met die intense ogen, hoe je lachte, net iets te hard. Hoe de elektriciteit knetterde als je me aanraakte met de toppen van je vingers en hoe blij ik me dan voelde. Licht en gedragen. Zo is het om te vliegen. De kracht van de wind en de kleuren van de lucht. En alles daar beneden te klein om belangrijk te zijn. Ik hoef maar een paar van jouw lievelings-liedjes op te zetten en ik ben er weer. De hemel is van muziek, ik weet het zeker, ook al doet die soms verschrikkelijk pijn. En hoe moe je soms ook wordt van vliegen, er is iets in je wat nooit meer wil stoppen.

Jij hebt dat met me gedaan. Je hebt me voorgoed verpest en ik krijg je niet meer gewist.

Nu nog minder dan toen ik dit verhaal begon. Mensen om me heen zeggen waardeloze dingen tegen me. Dat het wel over zal gaan, dit rotgevoel. Of ze maken jou heel klein en lelijk. Dat helpt niet, integendeel. Wat ze moeten zeggen is: dit was zo groot en tegelijk zo dicht op je huid – het is het verhaal van je leven. Koes-ter dat, opnieuw en opnieuw.

Het schrijnt dat ik niet eens echt afscheid van je genomen heb. Of nou ja, misschien is dat juist goed. Ik kan toch niet bevatten dat het voorbij is.

En het is niet voorbij.

Elk feest, elke vakantie zal slechts een kopie zijn, een nabeeld. Neem een zonsondergang op het strand. Daar zal ik toch altijd dat wonderlijke leger van engelen bij denken. En jij die zomaar de zee inliep, Sofía.

Dankwoord

Dit verhaal berust op een werkelijkheid die ik behoorlijk veel geweld heb aangedaan. Het is dan ook alleen maar mijn privé-werkelijkheid – en zelfs dat niet.

Mieke en Mylou hebben de lange kronkelweg van het boek helemaal met mij meegelopen, ik ben jullie zo dankbaar. Mylou is zelfs mee geweest naar Portugal om wat hiaten in het verhaal te dichten, een reisje om nooit te vergeten.

Mijn man Ilco en mijn dochters Bloem, Chaia en Dunya hebben al die tijd meegeleefd – of mee moeten leven; ik ben zo trots op jullie!

Uitgeverij Lemniscaat speelde een belangrijke rol, vooral Jesse met haar vasthoudendheid en mijn fijne redacteur Leonie. Marc maakte het mooie portret met bloem dat de omslag werd.

Ik heb natuurlijk veel gedacht aan alle bekenden en familieleden die per ongeluk in dit boek figureren, zie de eerste twee zinnen hierboven. En dat geldt ook voor E., I., D., M., M. (†) – en natuurlijk N.

Anna van Praag

Verantwoording

De songteksten in dit boek zijn afkomstig uit:
'I Am… I Said' – Neil Diamond
'American Tune' – Paul Simon
'Today' – John Denver
'Songbird' – Fleetwood Mac
'Play Me' – Neil Diamond
'Over the Rainbow' uit: *The Wizard of Oz*
'All My Loving' – The Beatles
'Everybody's Talkin'' – Harry Nilsson
'Girl, You'll Be a Woman Soon' – Neil Diamond
'Can't You Feel a Brand New Day' uit: *The Wiz*
'Bookends' – Simon & Garfunkel
'Celluloid Heroes' – The Kinks